D0589328

Lorrie Moore est née en 1957. Elle est professeur à l'université du Wisconsin. Nouvelliste et romancière reconnue dans son pays, elle suscite l'admiration de nombreux auteurs anglo-saxons comme Jay McInerney ou Alison Lurie.

DU MÊME AUTEUR

Des histoires pour rien
Rivages, 1988
et « Points », nº P2368

Anagrammes
Rivages, 1989

Que vont devenir les grenouilles ?
Rivages, 1995
et « Points », nº P3044

Déroutes
Rivages, 2001
et « Points », nº P2369

La Passerelle
L'Olivier, 2010
et « Points », nº P2614

Lorrie Moore

VIES CRUELLES

NOUVELLES

Traduit de l'anglais (États-Unis)
par Edith Soonckindt-Bielok

Éditions de l'Olivier

La traduction a été revue et corrigée par Hélène Cohen
pour la présente édition.

TEXTE INTÉGRAL

TITRE ORIGINAL
Like Life

ÉDITEUR ORIGINAL
Alfred A. Knopf

ISBN 978-2-7578-3622-4

Remerciements

Parce qu'ils ont permis moins de lenteur dans la lenteur, l'auteur aimerait remercier le conseil municipal de Yaddo, le troisième cycle de l'université du Wisconsin, le Comité du Wisconsin pour les Arts, la Fondation nationale pour les Arts et la Fondation Rockefeller.

« C'était fort triste de te voir partir tout seul dans tes nouvelles chaussures. »

Zelda Fitzgerald,
dans une lettre à son mari,
février 1931.

Deux garçons

Pour la première fois de sa vie, Mary sortait avec deux garçons en même temps. Ce qui signifiait de la lessive en plus, l'achat d'un répondeur téléphonique et des virées solitaires en taxi la nuit. Et à Cleveland, il fallait téléphoner pour en avoir un ! Mais c'était malgré tout une situation qu'elle recommandait à ses amies au dos des cartes postales qu'elle leur envoyait. Elle choisissait celles représentant le quartier des Flats, la tombe de James Garfield ou une Annonciation, une carte qu'elle avait achetée au musée, avec un ange beau comme le jour qui, doigts en l'air, semblait murmurer : *Un garçon, deux garçons*. Elle leur écrivait : *On se sent si entourée ! Et dire que nous pensions toutes qu'un seul garçon saurait nous distraire, ou mieux encore qu'il nous comblerait de bonheur ! Découvre-toi ! Blanchis-moi ces dents et cet esprit ! Rencontre d'autres garçons !*

Sa dépression nerveuse fut subtile. Elle prit la forme de visites répétées à un petit parc du voisinage pour lesquelles elle s'habillait tout en blanc : chemisier blanc, jupe blanche, socquettes blanches, chaussures plates aussi blanches que les voiles d'un bateau. Elle lisait la Bible assise par terre, à l'ombre, ou bien alors un livre de poche qu'elle avait déniché et qui racontait l'histoire d'un homme seul sur un radeau au milieu de l'océan ayant survécu quarante jours et quarante nuits en se nourrissant de rognures d'ongles et de poisson. Mary ne parlait à personne. Elle lisait et essayait de ne pas s'inquiéter des taches que l'herbe pourrait laisser sur ses vêtements ; mais parfois elle se levait et allait s'asseoir sur un banc, surtout quand il y avait un bosquet coquin ou un couple en train de flirter à côté d'elle. Elle avait besoin de se sentir immaculée, ne fût-ce que l'espace d'un après-midi. Quand elle rentrait chez elle, elle serrait ses livres contre son cœur et détournait le regard des hommes qui déchargeaient de la viande devant son immeuble. Elle vivait dans une petite pièce au-dessus d'un abattoir – Porc Alexander Hamilton – où on poussait tous les jours des carcasses suspendues aux crochets d'un chariot, pâles et grasses, nues et avec leurs sabots. Elle essayait de faire en sorte que l'odeur de viande réfrigérée ne la suive pas à l'intérieur, jusqu'en haut des escaliers – le parfum de la honte et de la mort hachée – mais il lui arrivait d'échouer. Elle prenait toujours garde de ne pas marcher dans le sang qui coulait dans le caniveau, noir et vivant. À cinq heures et demie, elle approchait de son immeuble, craintive, sur la pointe des pieds et en retenant son souffle. Les camionnettes garées devant l'abattoir démarraient et les bouchers de chez Hamilton, dans leurs blouses de docteur tachées de sang et ornées d'un badge imprimé à partir d'un billet de dix dollars, nettoyaient le trottoir au jet et le rendaient aussi luisant qu'un canal. Les jeunes laveurs de voitures postés au coin de la rue souriaient à Mary et, à court d'eau, se précipitaient vers les flaques pour y tremper leurs raclettes, puis laissaient de longues traînées rose aquarelle sur les pare-brise des voitures arrêtées au feu. « Salut, disaient-ils. Salut, salut. »

« Où étais-tu passée ? » demanda le Garçon Numéro Un au téléphone le soir même. « J'ai essayé de te joindre. » Il était candidat à un siège du conseil municipal et Mary travaillait pour lui. Elle distribuait des tracts et collait des affiches sur les kiosques à journaux et les arbres. Sur les affiches, il y avait une immense photo, superbe, avec écrit *Numéro Un* en dessous. Elle essayait généralement de planter l'agrafe de manière à ce que celle-ci ressemble à une épingle de cravate ; mais quand elle était fatiguée, ou quand il lui avait trop parlé de son épouse, elle la lui agrafait droit dans les yeux, comme à un cadavre. Il prétendait que son couple était sur le point de se séparer, mais Mary savait, elle, ce que *séparation* voulait dire : la tête et le corps ne communiquent plus ; la femme ne se lève plus le matin, puis elle consulte un psy, une voyante, un acupuncteur ; le gras remonte à la surface. Le Numéro Un était en train de démonter sa vie. Lentement, disait-il. Avec ménagement. Il avait commencé par virer sa secrétaire, s'était trouvé un nouveau directeur pour sa campagne électorale, était passé des actions aux obligations puis au crédit, et avait vendu une propriété qu'il possédait au bord d'un lac. Il liquidait. Bientôt ce serait le tour de la femme endormie. « C'est surtout pour les garçons que je m'inquiète. » Il en avait deux.

« Où étais-je passée ? » répéta Mary. Elle fouilla au plus profond de son âme. « J'ai été lire au parc.

– Tu me manques, dit le Numéro Un. J'aimerais vraiment pouvoir venir te voir tout de suite. » Mais il était coincé au loin, dans une maison avec un couvercle percé pour pouvoir respirer, et de l'herbe pour manger. Il possédait également un studio dans un immeuble en ville où le portier souriait à Mary et l'invitait à entrer par un signe de tête. Mais ce soir, le Numéro Un était chez lui, avec les garçons ; ils étaient sensibles, taciturnes et lycéens tous les deux.

« Hmmm », dit Mary. Voilà qu'elle commençait à souffrir de migraines. Elle se demandait ce que le Numéro Deux était en train de faire. Peut-être qu'il pourrait venir lui masser le dos, faire cesser le battement à ses tempes, poser sur elle ses mains chaudes et humides. « Comment va ta femme ? » demanda Mary. Elle regarda son réveil.

« Elle dort, répondit le Numéro Un.

– Tu iras bientôt rejoindre ses orteils froids. » Il y eut un silence. « Mais, dis-moi, comment réagirais-tu si moi aussi je couchais avec quelqu'un d'autre ? » ajouta-t-elle. Un plus un. « Est-ce que ça ne serait pas mieux ? Est-ce que ça ne serait pas plus équilibré ? » C'était ainsi que se manifestait son penchant pour l'algèbre. Elle n'était pas revancharde. Elle n'avait pas envie de régler ses comptes. Elle voulait juste remettre les pendules à l'heure.

« Si je couchais avec quelqu'un d'autre moi aussi, est-ce que ça ne serait pas mieux pour tout le monde ? » Elle pensa à nouveau au Garçon Numéro Deux qu'elle rejetait trop souvent. Elle lui téléphonerait dès qu'elle aurait raccroché.

« *Mieux pour tout le monde ?* mugit le Numéro Un. Plus que ça. Ce serait le délire total. » Lui, c'était celui qui était marrant. Après l'amour il soupirait, ouvrait les yeux, et lui disait, « Tiens, c'était toi ? » Le Numéro Deux n'était pas aussi drôle. Il était grand et dépressif, triste comme un jour sans pain. Si on lui demandait « Que dirais-tu si on voyait quelqu'un d'autre chacun de notre côté ? » cette grande tige regarderait fixement par la fenêtre, morose. Il resterait muet. Ou alors il hausserait les épaules et répondrait, « Sisketu…

– Pardon ?

– Sisketu veux. » Il l'embrasserait avant de pleurer dans son grand bras. Mary se faisait du souci pour sa santé. Le Numéro Un mangeait dans des restaurants où on cuisinait des aliments – calamars, foie, carottes – « frais et tendres », comme dans une chanson de Tony Bennett. Mais le Numéro Deux mangeait dans des cafétérias des plats remplis de nitrates et recouverts d'une croûte sombre et dentelée. Une nourriture pareille s'insinuait en vous, pâteuse et tenace comme un mauvais rêve. Quand le Numéro Deux mangeait, il ne tuait rien dans l'œuf. Cela pouvait rendre un homme soucieux et triste de se sentir le dernier sur la liste.

« Tu as tout, dit-elle au Numéro Un. Tu en as trop : l'argent, le pouvoir, les femmes. » Il était absurde de parler en ces termes à Cleveland. Mais le monde était toujours trop petit après tout, quel que soit le monde en question. Il fallait tout simplement aller de l'avant et en parler. « Ta vie est trop encombrée.

– Elle est un peu embouteillée, c'est vrai.

– La file d'attente est tellement longue qu'elle commence à attirer les mimes et les jongleurs. » Voilà comment il leur arrivait parfois de se parler.

« Ceux qui m'inquiètent le plus, ce sont les portraitistes, dit le Numéro Un. Ils sont agressifs et n'ont aucun talent. » Et puis il y eut un bruit sur la ligne. Il avait un appel en attente.

« C'est vraiment trop injuste. Dans le bus, tout le monde veut s'asseoir à côté de toi.

– Il faut que je raccroche maintenant », lui dit-il, car il avait peur de la tournure que pourrait prendre cette conversation qui risquait de durer, durer, indéfiniment.

Dans le parc, devant elle, une fillette de onze ans bondissait d'avant en arrière. Mary leva les yeux. La fillette était maigre, plate, avec du rouge à lèvres. Elle portait un haut qui lui laissait le dos nu, et ses omoplates saillaient comme l'auraient fait des ailes. Elle cracha une fois, bruyamment, férocement, et le jet de salive atterrit à côté des pieds de Mary. « Message de l'espace », dit la fille, et puis elle sortit, avec indolence, du parc. Mary essaya de se concentrer sur sa lecture, mais ce fut dur. Elle n'avait plus la tête à ça, alors elle se leva pour rentrer chez elle. Elle marcha dans l'eau ensanglantée sans prêter attention aux bouchers qui, quand ils en portaient une, la saluaient avec leur casquette à résille. Tout semblait osciller autour d'elle, comme dans une danse mal assurée, et elle dut s'accrocher à la rampe pour monter les escaliers.

C'était pour cette raison qu'elle aimait bien le Garçon Numéro Deux : il était gentil et réservé, comme quelqu'un qu'elle connaîtrait depuis longtemps et à côté de qui elle se serait assise à l'école. Il lui disait qu'il l'aimait en baissant les yeux ; puis il se mettait à suer copieusement au-dessus d'elle et son odeur imprégnait encore la pièce après son départ. Le Numéro Un n'était pas du genre à suer. Il était trapu et n'avait aucun pore. La chaleur semblait s'accumuler sous sa peau : rien ne s'évaporait hors de lui. Il ne laissait ni trace, ni effluve, mais quand on était avec lui, la chaleur était bien là et il fallait la toucher. On se rapprochait et on perdait un peu la tête. On se laissait aller à flotter. Sur un radeau en pleine mer. Rognures d'ongles et poisson.

Quand il venait chez elle, le Numéro Deux aimait boire de la bière et se coucher tôt, gémissant en elle, les pieds pendant au bout du lit. Il lui massait longuement le dos puis s'affaissait dans une plainte. Il était plein de sons. Il parlait avec lenteur et économie. Selon lui les mots n'exprimaient jamais ce qu'il voulait dire. Il avait du mal à l'expliquer.

« Je sais », disait Mary. Elle avait appris à se fier à ses yeux, à leur lumière, saphirs soumis à leur maîtresse, quoique parfois ils soient traversés par un éclair apeuré.

« Embrasse-moi », disait-il. Et elle s'exécutait en fermant les yeux.

Parfois, elle imaginait un Garçon Numéro Trois qui réunissait le meilleur des deux autres. Elle se rendit compte que c'était le Garçon Numéro Trois qu'elle désirait. Le Numéro Un était riche et avare. Le Numéro Deux soupirait, se répétait, intarissable et immense ; on n'avait qu'une envie, c'était qu'il s'assoie. Il était inévitable qu'elle les fusionne puis ajoute quelque chose. Un plus deux. Trois était intelligent et honnête. Il était mieux que tout le monde. Pris individuellement, il manquait au Numéro Un et au Numéro Deux certaines qualités, et morne ou menaçant, ils se retrouvaient à rôder dans les parcs couleur émeraude de Cleveland, serrant les mains des électeurs, ou penché, mélancolique, au-dessus d'un hot-dog. Le Numéro Trois lui apparaissait toujours après un verre ou deux, tel un chevalier servant vêtu d'un beau costume et lui apportant des cadeaux. « Ah, le Numéro Trois », soupirait-elle, les yeux clos.

« Je t'aime », dit Mary au Numéro Un. Ils jouaient les concubins dans son studio à lui éclairé par les lampadaires de la rue et préservé de la vie ordinaire.

« Tu comptes pour moi, répondit-il.

– Tu comptes pour moi aussi. Mais tu compterais bien plus si tu étais célibataire.

– Plus que ça encore. Je serais alors au nombre des êtres rares, genre licorne.

– Je t'aime », dit-elle au Numéro Deux. C'était une romantique dans son genre. Elle avait un grand cœur, prêt à éclater, même si son cerveau s'asséchait et se subdivisait comme un chou-fleur. Elle appelait justement les deux garçons « mon chou » et ça la choquait un peu. Combien de choux pouvait-on avoir en tout ? Peut-être qu'on pouvait ouvrir les bras et embrasser tellement de choux qu'on atteignait alors un niveau de spiritualité élevé, aussi élevé qu'une étagère dans un magasin diététique ou qu'un pin, mystique et immobile, au pied duquel la vie aboierait comme un chien.

« Moi aussi je t'aime », répondit en postillonnant et d'une voix légèrement étranglée le Numéro Deux, le cou engoncé et son repas chaud montant dans les airs avec la vapeur qui s'échappait de sa peau.

Ses amies lui écrivaient au dos de cartes postales : *Mary, tu te rends compte de ce que tu fais ?* Ou *Ça me paraît super*. L'une d'entre elles la traitait même de « *Cochonne* », le tout suivi de nombreux points d'exclamation.

Elle décida de peindrc sa chambre dans un blanc vibrant baptisé Blanche Espérance, comme une héroïne de la collection Harlequin. Elle se mit à acheter des petits meubles blancs pour enfants, mais le problème c'est qu'ils étaient pour elle. Elle s'y asseyait ou s'appuyait contre eux, et elle entrapercevait alors le fragment d'une enfance qu'elle n'avait pas vraiment eue ou dont elle ne pouvait se souvenir flotter vers elle, purificateur et revigorant. Elle prenait des bains au désinfectant, dont elle mettait des bouchons entiers sous le robinet ouvert. Elle descendit ses autres meubles – de grands meubles rouges, noirs et marron – sur le trottoir, et elle regarda la ville les traîner le lundi, jusqu'à ce que sa chambre soit aussi nue et blanche qu'un os.

« Tu as changé la décoration », lui dit le Numéro Un.

« Est-ce que tu m'aimes vraiment ? » lui demanda le Numéro Deux. Il ne regardait jamais autour de lui. Il s'approcha d'elle, lentement, ne désirant savoir qu'une seule chose.

Dans le parc, après un bain au désinfectant, elle s'assit sur un banc à la peinture écaillée et entama sa lecture. *Qui gravira la montagne du Seigneur ?... L'homme aux mains innocentes...* Il était beaucoup question de tirages au sort et de vêtements, et dans l'autre livre, il y avait un requin qui décrivait des cercles.

La même fillette de onze ans, les lèvres laquées d'un pêche verdâtre, s'approcha pour lui cracher dessus.

« *Quoi ?* dit Mary atterrée.

– Ben rien, répondit la fille. Je ne vais pas vous faire de mal », se moqua-t-elle, et elle redressa les épaules comme le font les enfants quand ils jouent à se déguiser, dans une mauvaise imitation d'une star de cinéma. Elle portait un sac bon marché avec une longue bandoulière qu'elle fit passer par-dessus sa tête pour l'arranger en diagonale en travers de son torse.

Mary se leva pour partir, avec ce qui aurait pu passer pour de l'indignation chez quelqu'un d'autre, mais qui chez elle n'était qu'une dérobade horrifiée. Personne n'était dupe ! Tout le monde savait qui elle était, ce qu'elle faisait. Qui croyait-elle tromper ? Ce qu'il lui fallait c'était des projets. En période difficile, seuls les projets pouvaient vous sauver la face. Ils donneraient une structure au temps et à l'espace, comme des petites sculptures. Une fois chez elle, Mary prépara une soupe qu'elle mangea en regardant fixement le radiateur. Elle organiserait un voyage ! Elle irait quelque part très loin, dans une contrée pure et virginale.

Elle acheta plusieurs guides de voyage sur le Canada : la Nouvelle-Écosse, le Nouveau-Brunswick, l'Île-du-Prince-Édouard. Elle resta dans sa chambre, à l'abri des crachats, feuilletant ou lisant avec attention la documentation, sa tête se remplissant comme une valise de noms d'hôtels, de monuments, de taux de change et d'événements historiques. Une excitation remplie d'appréhension s'échafaudait en elle jusqu'à l'épuisement – le voyage lui parcourait les veines –, et jusqu'à ce qu'elle ait l'impression d'être déjà allée au Canada, d'y avoir séjourné plusieurs mois, et de retrouver à présent son lit, seule, pour récupérer ses forces.

Mary se rendit au bureau du Numéro Un pour lui remettre quelques tracts et lui dire qu'elle partait.

L'endroit sentait la cigarette et le cigare, comme dans un lieu public, un train, par exemple. Il ferma la porte.

« Je me fais du souci pour toi. Tu sembles distante. Et tu es toujours habillée en blanc. Qu'est-ce qui ne va pas ?

– Je me préserve pour le mariage, dit-elle. Mais pas le tien. »

Le Numéro Un la regarda. Il avait été sur le point de demander « Le mien ? » mais il n'y avait pas assez de place dans cette pièce pour eux deux, chacun voulait marquer son but. Ils se lançaient toujours les mêmes piques ces temps-ci. Ils en étaient à s'imiter l'un l'autre, issue on ne peut plus violente et gratifiante d'une relation amoureuse !

« Je suis désolée de ne pas être venue travailler, dit Mary, mais j'ai décidé de partir quelque temps. Au Canada. Ça te permettra de retrouver ton autre vie.

– Quelle autre vie ? Celle où j'arpente les rues à deux heures du matin déguisé en Himmler ? C'est de celle-là dont tu parles ? » Sur son bureau, il y avait des coupures de journaux à propos d'un élu du Nebraska qui avait eu des liaisons extraconjugales. En gros titre on pouvait lire : LA COURSE À L'ÉRECTION : QUI DEVRAIT JETER LA PREMIÈRE PIERRE ? La zone d'ombre à la périphérie de la vision de Mary se rétracta, puis s'élargit à nouveau. Elle attrapa le bras d'un fauteuil et s'assit.

« Ma vie est très étrange », dit-elle.

On la regardait fixement. Elle avait l'air fatiguée et perdue. « Tu sais, dit-il, tu n'es pas la seule femme à avoir une histoire avec un homme mar… un homme qui est impliqué dans une relation conjugale. » Il appelait généralement leur liaison une *situation*. Ou parfois, pour faire de l'esprit, une *adulterie*. Des mots qui précipitaient Mary au bord de l'évanouissement.

« Je ne suis pas la seule femme ? Et moi qui pensais être une pionnière ! » Quand elle était petite, sa mère lui avait demandé : « Est-ce que tu te jetterais d'une falaise pour faire comme tout le monde ?

– Oui, lui avait-elle répondu.

– *Vraiment ?* » avait insisté sa mère.

Mary avait alors répondu : « Non. » Il n'y avait que deux réponses possibles, mais laquelle choisir ?

« Je t'invite à dîner », dit le Numéro Un.

Mary regarda par la fenêtre qui se trouvait derrière lui. Il y avait des femmes qui sautaient à travers de telles fenêtres. Elles s'élançaient et elles sautaient.

« Il faut que j'aille au Canada pendant quelque temps, murmura-t-elle.

– Le Canada. » Le Numéro Un sourit. « Tu as toujours été une aventurière. Tu n'as pas oublié de te faire vacciner au moins ? » Voilà ce qui se passe dans une relation amoureuse. L'un pleure beaucoup, les deux finissent par devenir sarcastiques.

Elle lui tendit ses tracts. Il les empila près d'un presse-papiers en forme de rhinocéros et fit glisser sa main le long de son visage, à la manière d'un laveur de voitures avec sa raclette. Elle se leva et embrassa son oreille, chose délicate, créature marine avec le vent de son baiser emprisonné à l'intérieur.

Au Garçon Numéro Deux, elle dit : « Je dois partir en voyage. »

Il la saisit par la taille, apeuré. « Épouse-moi, ou autrement.

– Autrement », répondit-elle. Ellc voulait toujours ce qu'on ne lui offrait pas. L'autre chose.

« Peut-être dans deux ans », dit-elle en essayant de se défaire de son étreinte. Ils pourraient acheter une voiture, une maison en banlieue. Ils deviendraient obèses et élèveraient des enfants maussades et paresseux. Deux garçons.

Et une fille.

Le Numéro Un lui enverrait des cartes postales avec des blagues au dos. *Espèce de cochonne.*

Elle toucha le bras du Numéro Deux. Il était gentil avec elle, à sa manière, même si ses cheveux gras fourchaient et si la panique étrange et occasionnelle qui l'habitait se déversait de manière préoccupante à travers les veines de ses bras.

« J'ai besoin d'une coupure, dit Mary. Je pars au Canada. »

Il la lâcha et s'approcha de la fenêtre, les jointures de sa main ressemblant à des petits hommes durs dressés sur le rebord.

Elle passa deux semaines à Ottawa, une ville très anglaise et déserte à cette époque de l'année. Les cafés avaient rentré leur mobilier de terrasse, vu qu'on était déjà en octobre et que nul ne pouvait dire si oui ou non les canaux allaient geler. Elle visita la National Gallery et resta plantée devant les enfants nus et les feuilles ardentes de Paul Peel et Tom Thomson, ces peintres aux noms évoquant les Contes de ma Mère l'Oie. Elle suivit une visite guidée du Parlement aux riches boiseries et aux tentures de velours cramoisi qui, ce même mois, avait été le théâtre d'un scandale au sujet de la vie privée de plusieurs de ses membres.

« Façon de parler », dit le guide en clignant de l'œil, et les touristes desserrèrent la mâchoire.

Dans un ancien moulin transformé en restaurant, Mary dîna en fixant les murs de pierre et en lançant parfois un sourire aux serveurs. Le soir, seule dans sa chambre d'hôtel, elle s'imaginait que la blancheur fraîche et nuptiale des draps la guérirait, eux qui l'enveloppaient comme un linceul et imprimaient pour quelque temps leur candeur sur sa peau et dans son sang qui méditait. Tous les matins à sept heures, la réception lui téléphonait pour la réveiller.

« Qu'est-ce qu'il y a à faire aujourd'hui ? demandait Mary.

– On est à Ottawa ici, mademoiselle, pas à Montréal. »

On parlait français là-bas. Ce n'était pas son truc.

« Le petit déjeuner sera servi jusqu'à dix heures dans la salle de l'Union Jack, mademoiselle. »

Mary envoya une carte postale au Garçon Numéro Un et au Garçon Numéro Deux. Elle leur écrivit : *De retour mardi prochain au bus de quatorze heures.* Elle glissa celle pour le Numéro Un dans une enveloppe et la lui envoya à son bureau de poste. Elle suivit une autre visite guidée du Parlement, puis se rendit dans une église où elle essaya de prier pendant un long moment. « Notre Père qui êtes notre père, commença-t-elle, qui êtes notre père à tous… » Enfant, elle aimait prier et improvisait toujours. Elle fermait les yeux très fort, comme si ses paupières avaient été cousues ensemble, et au milieu des couleurs elle était convaincue qu'elle voyait Dieu nageant à sa rencontre, porteur de messages et de conseils, comme un énorme *fortune cookie* avec une barbe et une tunique, et ne faisant plus qu'un avec le liquide. À présent, toutes ces psalmodies l'étourdissaient. Elle ouvrit les yeux. L'église était silencieuse, moderne, éclairée comme une bibliothèque, et remplie de femmes agenouillées comme si elles ne devaient jamais se relever.

Durant le voyage du retour, elle dormit par à-coups ; le bus grondait sous elle, l'exhortant à rêver, et de temps à autre à se demander – elle oscillait entre les deux états – s'il y aurait quelqu'un qui l'attendrait à la gare. Le Garçon Numéro Deux n'y serait certainement pas. Il était pauvre, n'avait pas de voiture et se sentait rejeté. Peut-être que le Numéro Un, venu du bureau en coup de vent, dans un mouvement d'impétuosité qui lui ressemblait tant, laisserait de côté ses préoccupations électorales pour venir l'accueillir avec des fleurs. Peu probable.

Mary eut du mal à descendre du bus avec sa valise. Elle était encore sonnée d'avoir dormi pendant le trajet et cet aspect de la vie, charger et décharger ses affaires, lui avait toujours paru difficile. Elle entendit son nom, regarda autour d'elle, puis l'entendit une nouvelle fois. « Mary. » Elle chercha d'où venait la voix, et elle le vit : le Garçon Numéro Deux, avec un pull troué et ses cheveux qui fourchaient.

« Votre attention s'il vous plaît, cracha le haut-parleur. Nous informons les voyageurs du…

– Salut ! » dit Mary. Le curieux mélange de reconnaissance et de déception qu'elle éprouvait toujours avec le Numéro Deux enveloppa ses articulations comme un début de grippe. Ils s'embrassèrent sur la joue et puis sur la bouche, après quoi il insista pour porter sa valise.

Ils eurent du mal à se frayer un chemin à travers la foule, et ils essayèrent de se parler, mais sans vraiment insister. La gare routière était le point de rassemblement du déracinement et du danger, avec partout le tourbillon sentimental des retrouvailles et des adieux, humide, ambivalent. Quelqu'un agitait la main dans leur direction : c'était une femme aux jambes nues, couverte de boue, avec des mouches qui lui tournaient autour. Un vieil homme, une chose blanche enroulée dans le creux de son oreille s'approcha d'eux et leur demanda un dollar. « C'est pour manger ! Pas pour boire ! Pas pour boire ! Pour manger ! »

Le Numéro Deux tira un dollar de sa poche. « Voilà pour toi, mon pote », lui dit-il. Mary se rendit compte tout d'un coup qu'il lui faudrait choisir, que même si l'on ne savait pas qui aimer en ce bas monde, il était important de faire un choix. On choisissait l'amour comme une croyance, une religion, un foyer, une boîte pour votre cœur qui bat, cognant aux parois tel un revenant dans une maison.

Le Numéro Deux n'avait pas assez d'argent pour un taxi mais tenait à raccompagner Mary chez elle à pied, un bras arrimé autour de ses épaules. Ils traversèrent la ville ainsi accrochés. À une époque, le Numéro Deux lui posait une grosse main molle au milieu de la colonne vertébrale, mais Mary parvenait toujours à se dégager en s'arrêtant pour montrer quelque chose du doigt – « Regarde, la comète de Halley ! Regarde, une étoile ! » – tant et si bien que maintenant il l'agrippait fermement, pressé tout contre elle de façon à ce que les épaules de Mary se courbent en avant et que leurs hanches se touchent.

Il tardait à Mary de se libérer.

Une fois devant son immeuble, elle le remercia. « Tu ne veux pas que je monte ? lui demanda le Numéro Deux. Ça fait tellement longtemps que je ne t'ai pas vue. » Il fit un pas en arrière pour s'écarter d'elle.

« Je suis fatiguée, dit Mary. Désolée. » Les bouchers de chez Hamilton, qui guettaient une nouvelle livraison, traînaient sur le trottoir en grimaçant. Le Numéro Deux lui tendit sa valise et lui dit : « À plus tard. » Il avait un coussinet de gobelet plastique et de chewing-gum collé à sa chaussure.

Mary monta écouter son répondeur. Il y avait un message d'une vieille copine de classe, un faux numéro – la voix étrange d'une fille qui lui demandait, « Qui vous êtes ? C'est quoi votre nom ? » –, puis celle du Numéro Un, vive et tourmentée. « J'ai oublié quel jour tu rentrais. C'est aujourd'hui ? » Et puis encore un faux numéro : « Qui vous êtes ? C'est quoi votre nom ? » Et de nouveau la voix du Numéro Un : « Il semblerait que ce ne soit pas aujourd'hui non plus. »

Elle s'allongea pour se reposer et ne défit pas ses bagages. Quand le téléphone sonna, elle bondit hors du lit et fit tomber son sac à main et plusieurs livres qui étaient posés sur son matelas.

« C'est toi, dit le Garçon Numéro Un.

– Oui », répondit Mary. Elle sentit un petit blizzard lui monter aux yeux puis s'en aller.

« Mary, qu'est-ce qui ne va pas ?

– Rien. » Elle essaya d'avaler sa salive. Une fois la tendresse disparue, une accalmie précédait la haine, et les choses pouvaient s'y déverser. Il y avait toujours tellement à contenir, tellement de démangeaisons au cerveau. Alors on essayait de les chasser, comme une femme qui protégerait son perron avec un balai.

« Tu as fait bon voyage ?

– Très bon. J'espérais un peu que tu viendrais me chercher.

– J'ai perdu ta carte postale et j'avais oublié quel…

– T'inquiète pas. Mon frère m'attendait à la gare. Résumons ma vie : je dis à mon frère quel jour je rentre, et puis je te le dis à toi aussi. Qui vient m'accueillir ? Mon frère. Et nous ne sommes même pas proches, contrairement à d'autres frères et sœurs. »

Le Numéro Un soupira. « En fait, ton frère et moi, nous avons joué à pile ou face, et c'est lui qui a perdu. Mais j'ai quand même trouvé qu'il avait été bon joueur. » Pas de réponse à l'autre bout de la ligne. « Je ne savais pas que tu avais un frère », ajouta le Numéro Un.

Mary s'allongea sur son lit et serra le téléphone contre elle. « La campagne avance ?

– L'argent continue de rentrer et le parti est content des spots radio. Mais tout ce cirque me fatigue. Peut-être que tu pourrais m'aider. Ça veut dire quoi déjà *électeur* ? On n'arrête pas de me parler d'électeurs. » Elle était censée rire.

« Eh bien, le Canada était comme une apparition, dit Mary. Très moderne, propre et prospère. En tout cas, c'est l'impression que ça donnait. Il y a vraiment quelque chose qui cloche à Cleveland.

– Cleveland n'a pas les gens qu'il faut à Washington, alors que le Canada, oui. » Le Numéro Un était pour la redistribution des richesses, la diminution du budget de la Défense, l'Amérique latine sans les U.S.A. Il avait assisté à plusieurs soirées de bienfaisance à Hollywood, mais il n'avait jamais donné une seule pièce à un mendiant de sa vie. Alors que le Numéro Deux, oui.

« La charité rabaisse cruellement l'homme », disait le Numéro Un.

« Va t'acheter un coca, mon pote », disait le Numéro Deux.

« Il faut que je passe chercher mon chèque, dit Mary.

– Demande-le à Sandy. Je n'aurai probablement pas le temps de te voir. C'est en partie pour cette raison que je t'appelle. Je suis terriblement occupé.

– À chercher des fonds ? » Elle enroula le fil du téléphone autour d'une jambe qu'elle avait levée en l'air en guise d'exercice.

« Ça et les garçons. D'après ma femme ils souffrent un peu d'être impliqués dans notre mariage pourri.

– Et moi qui pensais qu'il n'y avait que toi et elle. Voilà que tout le monde s'y met maintenant.

– Tu ne sais pas ce que c'est que d'avoir deux garçons. Tu ne peux pas comprendre. »

Mary s'étendit sur le ventre, seule dans son lit. Un Numéro Trois démantelé, immense, prêt à se découdre aux entournures, terrorisait la ville. Le téléphone n'arrêtait pas de sonner. Mary brancha son répondeur. *Allô ? Allô ?*

« Je sais que tu es là. Réponds s'il te plaît. »

« Je sais que tu es là. Réponds s'il te plaît. »

« Je sais que tu es là. Je sais qu'il y a quelqu'un avec toi. »

La voix s'étrangla. Il y eut ensuite plusieurs appels où personne ne disait rien.

Le lendemain matin il appela à nouveau et c'est elle qui répondit. « Allô ?

– Tu as couché avec quelqu'un hier soir, hein ? » demanda le Numéro Deux.

Mary resta silencieuse. « Je n'en avais pas l'intention, finit-elle par dire, mais je n'ai pas arrêté de recevoir des coups de fil angoissants ; alors j'ai eu peur et je n'ai pas voulu rester seule.

– Oh mon Dieu ! » murmura-t-il, en guise de juron ou bien en gage d'amour, et puis le téléphone s'écrasa au sol et fredonna le dernier couplet d'une longue mélopée.

Dans le parc, une jeune femme d'une vingtaine d'années tournoyait et dansait sur des arias et des chants grégoriens enregistrés sur cassette. Un petit groupe s'était formé autour d'elle. Mary lui jeta un regard rapide : voilà ce qui arrivait quand on venait d'un trou paumé et qu'on avait passé ses années de lycée sans amis et à rêvasser. On grandissait et on finissait par faire ce genre de danse.

Mary s'assit sur un banc un peu plus loin. La fillette qui lui avait craché dessus deux fois déjà passa près d'elle lentement, évaluant la situation. Mary leva les yeux. « Ne crache pas », lui dit-elle. Voilà à quoi se résumait sa vie : implorer qu'on ne lui crache pas dessus. Est-ce que ça valait mieux que de danser comme une possédée sur du Monteverdi en conserve ? Ça dépendait des jours.

Certains étaient meilleurs que d'autres, mais quand même.

« Je ne vais pas vous cracher dessus, ricana la fille.

– Tant mieux », dit Mary.

La fillette s'assit à l'autre bout du banc. Mary replongea dans sa lecture mais elle sentait le regard de la fille posé sur elle, scrutateur et la détaillant de haut en bas. Mary finit par se tourner et lui demanda : « *Quoi ?*

– Je regarde, c'est tout, dit la fille. Je ne crache pas. »

Mary ferma son livre. « Tu attends quelqu'un ?

– Ouaip, j'attends que tous mes petits copains viennent m'embrasser. » Elle ferma les yeux et fit mine d'embrasser quelqu'un.

« Oh », dit Mary, et elle rouvrit son livre. Le soleil brûlait le survivant sans merci. Cloques et brûlures. Cataplasmes d'algues. L'eau aussi dense que du verre, et le vent, au visage bleu, retenant son souffle. Comment est-ce qu'on en arrive là ? Comment la vie, bandeau sur l'œil et dents pourries, pouvait conduire en un tour de passe-passe cruel un homme au milieu de l'océan ?

Chez elle le téléphone sonna, mais Mary laissa le répondeur prendre l'appel. Personne. La machine démarra, suivit sa routine habituelle, puis rembobina la cassette. Au rez-de-chaussée, les crochets et les poulies qui traversaient l'abattoir cliquetèrent et s'entrechoquèrent. Dans un rêve, le téléphone se remettait à sonner et elle décrochait. C'était quelqu'un qu'elle ne connaissait que vaguement, un voisin du garçon Numéro Deux. « J'ai de mauvaises nouvelles », disait-il dans le rêve.

Dans le parc la fillette s'assit plus près, comme un petit animal – un écureuil, une bestiole curieuse. Elle tendit le doigt et dit : « J'habite par là. Vous aussi ?

– Tu ne devrais pas être à l'école ? » lui demanda Mary. Elle laissa tomber son livre sur ses cuisses mais garda la page avec un doigt, ainsi que ses lunettes de soleil.

La fille soupira. « L'école », et elle fit vibrer ses lèvres, comme un cheval qui s'ébroue. « Je vous ai déjà dit. J'attends mes petits copains.

– Mais tu passes ton temps à les attendre. Et ils ne viennent jamais.

– On ne peut pas compter sur eux. » La fillette cracha, mais loin de Mary, dans la direction du conservatoire de musique. « Ils sont morts. »

Mary se leva, ferma son livre, et se mit en route. « Un au ciel, un sous la terre, cria la fillette en courant derrière Mary. Hé, c'est par là que vous habitez ? J'en étais sûre. » Elle suivit Mary en traînant les pieds, rue après rue. Quand elles arrivèrent devant chez Hamilton, Mary s'arrêta. Elle se tint le ventre à deux mains et se retourna pour regarder la fille qui l'avait rejointe et transpirait un peu. Il faisait bien trop chaud pour l'automne. La fille contempla la viande exposée derrière la vitre, le discours phallique des saucisses marbrées, desséchées, suspendues comme pour un carnaval.

« Regardez ! dit la fillette en montrant les saucisses du doigt. Les voilà, tous nos ex. »

Mary enleva ses lunettes de soleil. « Tu es en quelle classe ? » lui demanda-t-elle. En quelle classe apprenait-on ce que cette gamine savait dans son cœur criblé de balles ? Ce savoir était du genre à pousser en vous comme un arbre, se déployant dans votre cerveau, et puis se développant jusque dans vos doigts pour venir buter contre vos ongles.

« En quelle classe ? » se moqua la fillette.

Mary remit ses lunettes de soleil. « Laisse tomber », lui dit-elle. Du sang de cochon enluminait leurs chaussures. Mary se tint le ventre encore plus fermement. Quelque chose flottait à l'intérieur, le fruit d'un souci. Elle fouilla dans son sac pour trouver ses clés.

« D'accord », dit la fillette. Elle fit demi-tour et partit en sautillant, les os de son dos travaillant dur, laissant derrière elle – mélancolique telle une pensée en route vers la lune – une traînée de couleurs, oiseau exotique qui ne s'offre à votre vue que si vous y croyez.

Vissi d'arte

Harry habitait près de Times Square, au-dessus d'un peep-show où on pouvait voir des filles se déshabiller pour vingt-cinq *cents*. Cela faisait cinq ans qu'il habitait là et il n'y était jamais entré, ce dont il était fier. Au royaume de la perversité il revendiquait celle du refus.

« Tu n'y as même pas jeté un œil ? Juste une fois, dans la journée ? lui demanda Breckie, sa petite amie. Pour mater ? Moi, oui. » Breckie finissait son internat à l'hôpital St Luke. Elle était chirurgien et s'occupait des victimes de coups et blessures qu'on amenait aux urgences. Elle aimait plonger les mains au cœur des choses, un reste de son enfance.

« Un jour quand je serai riche, dit Harry. On ne peut pas dire que ce soit donné. »

Harry écrivait des pièces de théâtre et de ce fait il était normal qu'il habite le quartier des théâtres. En plus, son loyer était bas et il pouvait écouter ses disques de la Callas à plein volume sans que ça pose de problème à qui que ce soit. Après tout, le quartier était déjà chaotique. Un chaos vivant, permanent. Il s'y sentait à l'aise. Complètement.

Oui, complètement.

Et si de temps à autre un petit rongeur se débarbouillait dans les W.-C. ou se précipitait de sous le radiateur, le chat de Breckie s'en chargeait presque toujours.

Harry avait commencé à écrire des pièces parce qu'il aimait le théâtre. Il aimait l'idée d'un public : des spectateurs en chair et en os devant des acteurs en chair et en os. C'était comme les gens qui vous accompagnaient en vacances : tous ces corps gorgés de vie dans la même pièce, ces grappes de raisins trop chargées ; il fallait bien que tout le monde soit poli. Ils ne pouvaient pas faire autrement. C'était ça la civilisation, pensait Harry. Une de ses pièces avait été produite une fois dans le cadre d'un concours organisé par la ville, ce qui lui avait valu le titre de « troisième meilleur espoir » dans la catégorie « dramaturges de moins de trente ans ». Sa photo avait été publiée avec celles des deux premiers lauréats dans le *New York Times*, tous les trois portant la même cravate. Celle-ci appartenait au photographe, qui les avait obligés à la mettre à tour de rôle, comme une veste dans un restaurant ; mais à part ça ils s'étaient beaucoup amusés. La pièce en question était une comédie pessimiste aux accents de fin du monde qui avait pour cadre le Pré aux Moutons de Central Park en l'an 2050. Un garde forestier restait planté à gauche de la scène pendant les quatre heures que durait la pièce ; les autres personnages vivaient des histoires d'amour et discutaient de tout et de rien. La pièce avait pour titre *Regarder un garde forestier pendant des heures*, et ils l'avaient jouée cinq jours d'affilée dans le sous-sol d'une église à Murray Hill.

Depuis, Harry travaillait à ce qu'il espérait être son chef-d'œuvre. L'histoire de sa vie, qu'il avait intitulée *O'Neillian*.

« On entend *Oh ! Néant* », disait Breckie. Son travail l'épuisait.

« Ça parle de la crise de la famille américaine et des mensonges que nous nous racontons tous.

– Je sais, je sais. »

Cela faisait des années que Harry travaillait à sa pièce. Il écrivait surtout la nuit, protégé des fracas du voisinage, laissant celles qu'il appelait « les fées de l'écriture » descendre de leur perchoir nocturne en scintillant afin de communier avec son stylo. Il se montrait extrêmement mystérieux en ce qui concernait son travail. Il n'en avait montré qu'une page à Breckie, et lorsqu'à deux ou trois reprises il avait photocopié certains passages, il s'était mis à rougir et à suer comme un grand timide. Ce n'était pas qu'il ne croyait pas à la valeur de son manuscrit. Simplement sa pièce lui paraissait tellement forte, et ses arrangements tellement délicats, qu'un coup d'œil jeté prématurément par la mauvaise personne pouvait tout ficher en l'air. Il s'était fortement inspiré de sa vie pour cette pièce. Il y avait intégré les anecdotes familiales les plus amusantes, les détails les plus douloureux de son adolescence et la mort effroyable mais néanmoins réelle de sa grand-tante Flora ; Flora la Radine, dont le dernier mot avait été : « Sapristi. » Son œuvre l'avait rendu pauvre et il savait qu'il n'était pas au bout de ses peines, qu'il lui faudrait vivre frugalement de l'argent du concours et des bourses qu'il obtenait de temps à autre jusqu'à ce que sa pièce soit terminée. Quand les fonds étaient bas, il lui était autrefois arrivé d'écrire des articles pour des magazines et des journaux ; mais il s'était trop impliqué dans ce travail et s'était disputé à plusieurs reprises avec les rédacteurs en chef.

« Changez un seul mot et vous allez voir », l'avait-on souvent entendu gronder.

« Mais, Harry, il faut raccourcir l'article pour faire rentrer une illustration.

– Vous me demandez de manger mes propres enfants pour que vous puissiez caser une photo à la con ?

– Harry, si tu ne veux pas d'illustration, fais-toi donc publier dans l'annuaire.

– Je vais y réfléchir. Est-ce que oui ou non je peux manger mes enfants de cette manière-là ? » Mais lorsqu'il eut commencé à grignoter leurs membres, Harry découvrit que leurs organes vitaux n'étaient pas si vitaux que ça, et il devint rapidement expert dans l'art de manger ses enfants. Une fois publiés, ses articles étaient généralement accompagnés de deux photos.

Et voilà comment Harry arrêta le journalisme. Il refusa également plusieurs offres pour le cinéma, « cette connerie ambulante », et il lui avait fallu résister aux efforts répétés d'un producteur de télévision nommé Glen Scarp qui l'appelait tous les six mois ces quatre dernières années, depuis que Harry avait gagné le concours – « Hé, Harry, comment allez-vous ? » –, pour le persuader de collaborer aux scénarios de ses séries télévisées. « La télé, répétait Scarp, ça ressemble beaucoup au théâtre. Ses racines sont *dans* le théâtre. » Harry ne regardait jamais la télévision. Il avait un vieux poste noir et blanc, et la réception était mauvaise parce que Breckie et lui habitaient trop près de l'Empire State Building ; les ondes passaient juste au-dessus d'eux mais manquaient complètement l'appartement. De temps à autre, en général après que Glen Scarp lui eut téléphoné, Harry allumait la télé juste pour voir si les choses avaient changé, mais c'était toujours le même bruit confus de la neige télévisuelle couplé à celui des appels de policiers en patrouille qui faisaient le tour du pâté de maisons comme des oiseaux. « Nous devons nous rendre à l'évidence, dit-il à Breckie. Cette télé est une grande radio cassée avec un dessin abstrait sur l'écran.

– Je ne peux plus vivre comme ça, dit Breckie. Harry, il faut faire quelque chose. J'en ai ma claque des putes, des drogués, des flics, des clodos et des cinémas pornos – tu sais ce qu'on passe au coin de la rue ? *Hôtesses succulentes* et *La Bite*. Je déménage. Je déménage plus haut, à l'ouest ; tu viens avec moi ?

– Hmm », répondit Harry. Il leur était arrivé une fois de parler de déménager. Il leur était arrivé une fois de parler mariage. Ils auraient des enfants et c'est Harry qui resterait à la maison, écrirait, et s'occuperait d'eux pendant la journée. Mais l'idée avait dérangé Harry. Dans la journée il aimait sortir. Il aimait déambuler jusqu'en bas de la rue pour s'installer dans un café et y lire le journal, réfléchir à sa pièce, commander un gâteau de riz qu'il mangeait lentement, le cerveau enflammé par le sucre et la caféine, ses pensées chauffées comme pour un caramel. C'était sa vie secrète, et elle le nourrissait d'une manière qu'il ne pouvait pas expliquer. Au café, il était lui-même. Il s'imaginait chef de famille et devant dire à ses enfants – des petits enfants braillards portant des couches-culottes, des enfants avec du papier calque et des ciseaux pointus, des petits enfants avec des ciseaux très pointus, des enfants pleurnichant, vomissant, avec des ciseaux à tête d'oiseau ou en forme d'oreilles de chien – « Papa va au café maintenant. Papa revient bientôt. »

« Tu viens avec moi ? répéta Breckie. Tu trouves un boulot, on prend un appart dans un immeuble câblé, et on vit *vraiment*. Je ne vais pas t'attendre cent sept ans. » Elle avait un chat qui pouvait, lui, attendre cent sept ans : de la nourriture, de l'eau, une souris derrière le radiateur, un fermoir métallique de sac congélation envoyé sous le tapis, et qui pourrait bien ressurgir d'un jour à l'autre, sans qu'on s'y attende. Breckie, non. Son chat restait aux aguets comme Madame Butterfly, mais sa maîtresse voulait que les choses avancent.

Harry essaya de se mettre en colère. « Je ne suis pas un objet. Peut-être que je ne suis même pas supposé être avec toi, alors être *à* toi, il n'y a rien de moins sûr.

– Je m'en vais, dit calmement Breckie.

– Oh, Breck ! » Harry s'affala sur le lit en cachant son visage entre ses mains. Breckie ne supportait pas de quitter un homme dans cette position. Elle s'assit à côté de lui, le tint contre elle et l'embrassa longuement jusqu'à ce qu'il s'endorme, jusqu'au matin où il serait alors possible de partir.

Les premières semaines de célibat furent difficiles, mais d'une certaine manière Harry s'y habitua. « Une année à vivre seul, lui dit son vieux copain Dane qui l'appelait de Seattle, et tu es foutu pour la vie. Tu seras irrécupérable. Tu ne reviendras jamais en arrière. » Harry travailla dur, comme il l'avait toujours fait, mais sans l'illusion d'être entouré. Cette fois-ci, il y avait juste la voix de la pièce et celle de son auteur dans le monde apocalyptique de son appartement. Il commençait à ne plus s'en inquiéter, à se sentir presque fait pour la solitude et l'impondérabilité de sa toute-puissance sur le cours des choses. Bientôt, il préféra parler au téléphone plutôt que de sortir en compagnie, appréciant le côté désincarné de la chose, et il se mit donc à décliner les invitations. Il n'avait vraiment pas envie d'être assis en facc dc quelqu'un au restaurant, de manger en regardant un visage. Il aurait voulu détourner le regard, ne plus avoir à s'occuper du visage, demander à la serveuse qu'elle leur apporte deux boîtes de conserve et de la ficelle, pour qu'ils se contentent de converser dans un dialogue aveugle. Ce serait comme écrire une pièce, le rafistolage nocturne, la grande blessure béante de l'esprit que l'on remplit avec des voix, comme une piñata noire avec des fruits.

« Dis-moi quelque chose de beau », demanda-t-il à Dane. Il était allongé sur son lit, berçant le téléphone contre sa joue, et il fixait d'un regard qui trahissait sa solitude le clocher que l'ombre de la bibliothèque dessinait sur le mur. « Dis-moi que nous allons mourir aimés dans un sommeil plein de rêves.

– Tu écris toujours tes pièces au téléphone, répondit Dane.

– J'ai dit, quelque chose de beau. Parle-moi du printemps.

– C'est dégueulasse et ça mouille. C'est un monstre marin.

– Ah ! » dit Harry.

Tous les matins, quand il sortait chercher le journal avant d'aller au café, il trouvait Deli, une prostituée, plantée sur le pas de la porte d'entrée. Son vrai nom était Mirellen mais elle s'était rebaptisée Deli parce que, fraîchement débarquée de Jackson, l'enseigne Delicatessen lui avait plu quand elle l'avait vue briller au-dessus de certains magasins ; et même si elle ignorait ce que ça désignait, elle savait que c'était un nom fait pour elle.

« 'Jour, Harry. » Elle sourit, à moitié groggy. Elle portait une robe noire, un manteau jaune à manches courtes, des bottes blanches. Ses bras étaient constellés de croûtes d'un gris translucide.

« 'Jour, Deli. »

Deli le suivit sur quelques mètres. « Pas vu ta nana dans le coin ces jours-ci – ça gaze toujours entre vous ?

– Oui. » Harry sourit, tourna les talons et descendit rapidement la Quarante-troisième Rue parce que Deli était maligne, ce qui de bon matin l'angoissait terriblement.

Ce fut la semaine suivante que les camions firent leur apparition. Des semi-remorques. Ils arrivaient l'un après l'autre au milieu de la nuit et se garaient devant le peep-show où les routiers aimaient traîner. Harry commença à se réveiller régulièrement à quatre heures du matin, en sueur. Le bruit était aussi assourdissant que celui d'une usine, et l'appartement était rempli de vapeurs de diesel, même quand les fenêtres étaient fermées. Une nuit, il enfila ses bottes, sans chaussettes, jeta son pardessus sur ses épaules nues, et descendit d'un pas lourd les escaliers.

Les camions étaient toujours monstrueux, avec des gueules de bouledogues féroces et des yeux quadrillés et vitreux. Leurs corps s'étiraient le long du pâté de maisons, et les gaz que crachaient les tuyaux de poêle à l'avant des engins formaient un brouillard démoniaque tout droit sorti de *Macbeth* ou de *Sherlock Holmes*. Harry détestait les camions. Il y avait des personnes qui les aimaient, il le savait, et pour qui voir un camion était comme surprendre un élan, une bête majestueuse et sauvage. Mais Harry n'était pas de ceux-là.

« Hé ! Dégagez cet engin de là ! » cria Harry en frappant contre la porte du chauffeur. « Ou alors arrêtez votre putain de moteur ! » Il jeta un œil dans la cabine mais elle semblait vide. Il frappa encore du poing et puis donna un coup de botte. Au fond de la cabine, des rideaux s'ouvrirent et un homme sortit la tête. Il avait l'air endormi et agacé.

« Qu'est-ce qui va pas, mec ? » demanda-t-il en sortant du camion.

« Coupez-moi ce moteur ! cria Harry sans parvenir à couvrir le grondement océanique du poids lourd. Vous ne voyez pas ce qui se passe avec les gaz d'échappement ? Vous allez asphyxier tout le quartier !

– J'peux pas couper le moteur, mec », cria le chauffeur. Il était en sous-vêtements – caleçon et débardeur blanc.

Les rideaux s'ouvrirent à nouveau et une tête de femme apparut. « Qu'est-ce qui se passe, mon grand ? »

Harry se tourna vers la femme. « Je suis en train de crever là-haut. Soit vous bougez ce camion, soit vous coupez le moteur.

– J'vous ai déjà dit, répondit l'homme. J'peux pas l'couper.

– Comment ça, vous ne pouvez pas le couper ?

– J'peux pas l'couper. Qu'est-ce que j'vais faire, moi, me les geler ? On essaye de dormir, nous. » Il se retourna et sourit à la femme qui sourit à son tour. Elle disparut ensuite derrière les rideaux.

« Moi aussi, j'essaye de dormir, hurla Harry. Pourquoi est-ce que vous ne garez tout simplement pas ce truc ailleurs ?

– J'peux pas bouger c'truc, répondit le chauffeur. Si j'bouge ce truc, vous voyez ce mec là-bas ? » Il montra son rétroviseur du doigt et Harry y vit le bout de la rue. « Si j'bouge, ce mec il me fauchera ma place.

– Mais coupez le moteur, alors ! » cria Harry.

Le chauffeur se mit en colère. « Vous êtes débile ou quoi ? J'vous l'ai *déjà* dit, j'peux pas !

– Comment ça, vous ne pouvez pas ? Ça n'a pas de sens.

– Si j'arrête ce putain de moteur, demain je peux pas redémarrer. »

Harry se précipita chez lui pour appeler la police. « Ouais, O.K., répondit l'agent Dan Lucey du commissariat. Comme si on n'avait pas des choses plus urgentes à régler. Vous vous appelez comment ?

– Harry DeLeo. Écoutez, vous ne pensez pas qu'un mec qui fume du crack dans un foyer sordide vit certainement l'un des meilleurs moments de sa vie. C'est *moi* qui...

– Quelle attitude citoyenne ! Écoutez, cher monsieur, on va voir ce qu'on peut faire pour ces camions, mais je ne peux rien vous garantir. » Et puis l'agent Lucey raccrocha, comme s'il s'était agi d'un coup de fil obscène.

Pour Harry, il était hors de question de rester dans son appartement. Il en mourrait. Il aurait un cancer et il en mourrait. Bien sûr, les meilleurs – le Christ, Gershwin, Schubert et des gens de théâtre ! – s'étaient éteints à la trentaine, mais c'était une piètre consolation. Il retourna dehors, vêtu de son haut de pyjama, de son pardessus et d'une paire de godillots de l'armée avec les lacets défaits. Il alla au hasard des rues, comme les sans-abri, comme les drogués, comme les putes entre deux passes, avec leurs enfants attardés, comme les voyous venus de Harlem pour traiter affaires, comme ces femmes avec de vieux grille-pain et des couteaux dans leurs sacs à provisions, qui se risquaient hors de la gare routière lorsque la neige fondait. Avec son pardessus et le haut de son pyjama, il n'avait pas peur le moins du monde, parce qu'il était devenu l'un des leurs, un homme de la rue, les poumons emplis de rébellion et de désespoir, et ça ils le savaient quand ils le croisaient. Ils l'accueillirent en souriant, mais Harry ne leur rendit pas leur sourire. Il erra à la recherche d'un kiosque à journaux, acheta le *Times*, et puis traîna un peu plus jusqu'à ce qu'il trouve un café ouvert toute la nuit. Il s'assit dans un box – un box pour lui tout seul ! –, ouvrit le journal sur la table et entoura au stylo les appartements qu'il ne pourrait jamais, au grand jamais, se permettre de louer. Mille cinq cents dollars ! Il en était scandalisé. Il se mit à délirer. Il inventa une blague : pour découper un élan, il faut d'abord réussir à faire plier la bête. « Quinze cents dollars pour un appartement dégueulasse ! » Mais bientôt les chiffres ne voulaient plus rien dire, et il finit par entourer aussi ceux à mille huit cents dollars.

En mars, Harry se retrouvait à errer dans le quartier plusieurs soirs par semaine, chassé de son appartement par les gaz d'échappement. Il allait se coucher rempli d'appréhension, ne sachant jamais s'il s'agirait d'une nuit camion ou non. Il laissait des messages sur le répondeur de son propriétaire, téléphonait à la police pour leur parler du lymphome et de l'emphysème et leur rappeler qu'il payait ses impôts, mais les agents lui répondaient simplement : « C'est vous qui nous avez déjà contactés ? » Il essaya de se faire passer pour un voisin, très poli, un père de famille nombreuse, et leur dit : « Je vous en prie, les camions réveillent le bébé.

– Ouais, ouais, ouais », répondaient les agents. Harry appela les services sanitaires, les services sociaux, la télévision. Il surnommait l'agent Lucey « l'agent

Lucifer» et il citait les statistiques sur le cancer qu'avait publiées le *Science Times*. La plupart du temps ses interlocuteurs l'écoutaient et lui disaient qu'ils allaient voir ce qu'ils pourraient faire.

Harry avait arrêté de fumer et prenait des vitamines. Une fois il avait même appelé Breckie en plein milieu de la nuit dans son nouvel appartement au nord-ouest de la ville.

« Je te dérange ? lui demanda-t-il.

– Très franchement, Harry, oui.

– Mon Dieu, c'est vrai ?

– Écoute, je ne sais pas comment te dire ce genre de choses.

– Tu peux répondre par oui ou par non ?

– D'accord.

– Merde, aucune question ne me vient. » Ils respirèrent tous les deux dans le combiné. « Est-ce que tu sais, finit-il par dire, que j'ai attrapé trois verrues plantaires en marchant pieds nus dans l'appartement ? On dirait que mon pied est couvert de bernacles.

– Maintenant je le sais.

– Une sole plantaire. Voilà ce que je suis devenu.

– Harry, le moment est mal choisi pour que je t'aide à écrire ta pièce.

– Est-ce que tu te souviens d'avoir vu la nuit des camions garés devant notre immeuble, moteurs allumés ? Est-ce que tu te souviens d'avoir vu ça, quand tu étais ici, quand nous habitions ensemble, quand nous étions amoureux et que nous habitions ensemble ?

– Harry, je t'en prie. » Breckie posa sa main sur le combiné et il y eut un son étouffé, semblable au bruit de la mer du coquillage, le tumulte assourdi d'une voix d'homme et de la sienne. Harry raccrocha. Il empila tous ses disques de la Callas sur la platine de son tourne-disque, et quitta l'appartement pour trouver un kiosque à journaux ouvert, un café où il se sentirait en sécurité et où on ne mettait pas une cerise confite au sommet du gâteau de riz, cerise qui, une fois enlevée, laissait une empreinte ensanglantée façon Walt Disney.

Quand d'un pas lourd il finit par rentrer chez lui, dans la pleine lumière du matin, les yeux faussement écarquillés et innocents, les camions n'étaient plus là. Il y avait juste Deli, plantée sur le pas de la porte, un sourire collé au visage. « 'Jour, Harry. T'as fait un cauchemar ?

– Tu es bien matinale.

– Oh, c'est déjà le matin ? Eh bien, je vais me dégoter un vrai boulot, un travail de jour. En plus, j'ai écouté toute la nuit ta musique. » Harry arrêta de faire s'entrechoquer ses clés quelques instants. Les arias de la Callas leur arrivaient faiblement des fenêtres de son appartement. « C'est pas de la musique de tapette ça, Harry ? J'ai rien contre la musique de tapette, hein. J'aime bien cette chanson qui parle de vessie.

– Qu'est-ce que tu racontes ? » Il avait dégainé ses clés et il était sur le point de s'engouffrer dans l'immeuble. Mais son épaule resta légèrement tournée vers elle.

« Vessie d'ortie, chanta Deli, vessie d'angora. » Deli se mit à rire. « Vessie d'angora ! Vraiment n'importe quoi ces paroles !

– Salut », dit Harry.

Sur son répondeur il y avait un message de Glen Scarp. « Hé, Harry, désolé de vous appeler si tôt, mais, hé, il est encore plus tôt ici. Ionesco n'a-t-il pas dit que le génie se lève aux aurores ? À moins que ce soit

Odets… (Odets ? se demanda Harry.) Bref, je prends l'avion pour New York dans quelques jours, et j'espérais qu'on pourrait prendre un verre ensemble. Je vous appellerai une fois que je serai sur place.

– Non, dit Harry à voix haute. Non, non, et non. »

Ce fut ce même matin, après une averse glacée, après qu'il eut ouvert les fenêtres pour aérer l'appartement, que la salle de bains se rebiffa. Les toilettes refusaient d'avaler et gargouillèrent quand Harry ouvrit le robinet de la cuisine. La baignoire se remplit soudainement, et d'une manière terrifiante, d'eau provenant d'un autre endroit de l'immeuble. Le bain d'un voisin : une eau savonneuse, avec des tourbillons couleur rouille. Harry essaya à nouveau de tirer la chasse, et le niveau de l'eau monta dangereusement. Il regarda l'horrible spectacle, poussant des « Ahhhhhhh ! » et des « Oulalahhhhh ! » en signe de protestation, ce qui sembla empêcher l'eau de déborder.

Il téléphona à son propriétaire, mais personne ne décrocha. Il appela un plombier dont il avait trouvé le numéro dans l'annuaire – la publicité vantait les mérites d'un *DGV (Dégorgement à Grande Vitesse)* et d'une *Machine à brasser montée sur poulie*. « Vous êtes le concierge ? demanda le plombier.

– Il n'y a pas de concierge ici », dit Harry, une réponse qui l'emplit de tristesse, comme s'il lui avait finalement fallu admettre que Dieu n'existait pas.

« C'est vous le propriétaire alors ?

– Non, je suis locataire.

– C'est deux cents dollars d'office pour le déplacement », dit le plombier avec flegme.

Les plombiers gardent toujours leur sang-froid. Pas seulement parce qu'ils sont riches. Ça a à voir avec les tuyaux dans lesquels ils passent leur temps à fourrager. « Dites à votre propriétaire de nous contacter. »

Harry laissa un autre message sur le répondeur de son propriétaire, puis se mit en route pour le Cosmos. Le Cosmos était un café fréquenté principalement par des acteurs qui parlaient avec lassitude d'auditions, de rôles à décrocher et du *Back Stage*, une revue qu'ils méprisaient mais dont ils tournaient les pages fiévreusement, à chaque nouvelle parution. « Ce que j'essaye de combiner, entendit-il une actrice dire, c'est le look de Mindy et la voix de Mork[1]. » Il eut alors pitié de ces gens qui se couperaient un membre pour écrire un épisode de série pour Glen Scarp, portés par les dix mille dollars de salaire, la publicité et l'amour coupable et affligeant qu'ils éprouvent pour le petit écran, quel que soit ce que cette expression désigne, et il pensa à quel point il s'était montré persévérant dans l'écriture de sa pièce secrète sur laquelle il trimait depuis des années. Mais ça en valait la peine. Quand il sortirait triomphant de la mine, quand il en émergerait avec son œuvre grandiose achevée, il serait fêté par un orchestre, accueilli en fanfare – acclamé par les cuivres ! Parce qu'il y avait des gens qui savaient qu'il devait aller au charbon, des gens intelligents, et ceux-là attendraient son retour.

Il était bien entendu dangereux de rester trop longtemps sous terre. Remontant à la surface pour respirer un peu d'air frais, il risquerait de ne trouver qu'un homme jouant de l'harmonica et des cymbales avec les genoux, une boîte de conserve à ses pieds.

Le mardi, l'eau savonneuse avait disparu. Harry ferma le robinet d'arrivée d'eau de manière à ce que

1. *Mindy and Mork* : sitcom des années 80 mettant en scène un extraterrestre qui se lie d'amitié avec une jeune femme. *(Toutes les notes sont de l'éditeur.)*

rien d'autre ne puisse entrer dans sa baignoire. Puis il nettoya l'évier de la cuisine, avec une éponge et du liquide vaisselle, et se rendit à pied au Cosmos.

Mais le lendemain matin, il fut à nouveau réveillé par le poison violent des gaz d'échappement qui emplissaient l'appartement. Il entra prudemment dans sa salle de bains et découvrit la baignoire pleine à ras bord d'un bouillon noirâtre avec des bouts verts qui flottaient à la surface. De la ciboule. Une soupe miso avec de la ciboule. « Quoi ? » Il vérifia le robinet d'arrivée d'eau, il était toujours fermé. Il laissa un message sur le répondeur de son propriétaire : « Salut, y a des légumes dans ma baignoire », puis il se traîna vers un café situé à la limite du quartier, pratiquement au niveau du Lincoln Center. Il commanda un cheeseburger avec du bacon parce qu'il avait envie de se faire plaisir et pour se replonger dans la vraie vie. Quand il rentra chez lui, Deli faisait les cent pas devant la porte d'entrée. « 'Jour, Harry. As-tu bien dormi ?

– C'est pas l'après-midi ?

– Qu'est-ce qu'on s'en fiche ? répondit Deli. Tu sais, Harry, j'ai réfléchi. Ce qu'il te faut, c'est dépenser un peu d'argent pour une fille capable de te faire du bien. »

Elle s'approcha de lui en l'aguichant, lui prit le bras et entreprit avec son autre main de lui caresser les fesses à travers son jean.

Harry se dégagea. « Ne commence pas à m'emmerder, Deli ! On se connaît depuis combien de temps, toi et moi ? Ça fait cinq ans que je te salue tous les matins en sortant de l'immeuble. On est copains. Ne viens pas me faire ton numéro de pute maintenant.

– Va te faire foutre. » Deli partit clopin-clopant se poster au coin de la rue.

Harry monta chez lui et ouvrit la porte de la salle de bains doucement. Il alluma la lumière et mit en marche la ventilation, d'un seul coup rapide et théâtral sur les interrupteurs.

La baignoire. La soupe miso avait disparu, mais à la place, une gadoue marron foncé montait à trente centimètres, sulfureuse et bouillonnante. « Oh, mon Dieu », dit Harry. C'était la peste. D'abord l'eau savonneuse. Ensuite les légumes. Les ténèbres à présent. Il attraperait le typhus ou la douve du foie. Il y aurait des grenouilles.

Il laissa un message sur le répondeur de son propriétaire, puis un autre sur celui de Breckie : « La moitié de la rivière Hudson est remontée dans ma baignoire. Il y a des mouettes qui tournoient autour de l'immeuble. Toi qui es médecin, peux-tu me dire si ça signifie que je vais contracter une maladie douloureuse et mortelle ? » Maria Callas chantait en arrière-plan. Il mettait à présent toujours un disque de la cantatrice quand il appelait Breckie. « Et puis, j'aimerais savoir si ton histoire avec ce mec est sérieuse. Parce que j'ai des projets, Breckie. »

Le jeudi, Glen Scarp appela et Harry dit oui. Oui, oui, et oui.

Ils se retrouvèrent le lundi autour d'un verre à l'hôtel où Scarp était descendu, sur la Cinquante-septième Rue Est. Devant le bâtiment, il y avait un passage voûté et tapissé de miroirs, une entrée onirique comme à Versailles ou dans le château d'un magicien. Scarp attendait Harry au fond du couloir, assis sur une banquette recouverte de velours. Harry le reconnut à la manière que le réalisateur avait de jauger avec indifférence les gens qui passaient, jusqu'à ce que son regard se pose sur lui. Scarp parut perplexe. Harry traversa péniblement le couloir, il semblait rebondir sur le sol dans ses chaussures fatiguées. Du velours débordait de chaque côté de Scarp et lui dessinait des hanches.

« Bonjour », dit Harry.

Scarp était petit et se leva rapidement, avec agressivité, pour saluer plus grand que lui. « Harry ? Glen Scarp. Ravi de vous rencontrer enfin. » Il n'était pas beaucoup plus vieux que Harry, et il lui prit la main et la serra doucement entre les siennes. Une nonchalance toute californienne, toute hollywoodienne. Un badinage claudicant, une légèreté pleine de promesses. Harry le savait, bien sûr, mais à la manière de tout le monde, c'est-à-dire par *ouï-dire*.

Scarp portait une broche en diamant, un brocoli scintillant, sur le revers de sa veste, et Harry faillit dire : « Bien épinglé », mais se retint. « Ravi aussi, répondit Harry. Ces jours-ci, j'ai l'impression que ma vie entière se passe au téléphone. C'est super de découvrir enfin la personne cachée derrière la voix. » Il n'en pensait pas un mot, bien sûr, et son mensonge dégoulina, glacial, le long de son dos.

« Prenons un verre, d'accord ? » Scarp se dirigea vers le bar de l'hôtel qui n'était que ficus et chromes et baignait dans une lumière bleutée.

« Après vous, dit Harry, qui aimait que les choses se passent ainsi.

– Merveilleux », répondit Scarp qui précéda Harry d'un pas assuré, lui offrant le spectacle de l'arrière de sa chevelure longue, laquée et ondulante comme une fontaine.

« Je tiens à vous dire tout d'abord combien j'admire votre travail », dit Scarp une fois qu'ils eurent commandé leurs boissons et après qu'il eut retroussé un peu ses manches et jeté un coup d'œil rapide à sa broche.

« J'admire le vôtre également », dit Harry. En réalité il n'avait jamais vu les séries télévisées de Scarp et en avait eu des échos plutôt négatifs. Apparemment ça parlait de jeunes yuppies, et il y avait beaucoup de mixers et de bébés. Mais ce à quoi il était confronté, là, maintenant, ce n'était pas la réalité. Il se trouvait dans l'antichambre de la réalité, où on parlait affaires. La clé du succès, Harry le savait, c'était de se montrer alerte et charmeur, une fois qu'on en avait terminé avec les flatteries. Voilà ce que les gens aimaient : une bonne petite histoire mordante, une anecdote racontée sur le ton de la confession, mais revue et corrigée, et mettant en scène si possible un membre de sa famille. Ensuite on parlerait argent, une somme comprise entre dix et quinze mille dollars serait peut-être avancée en guise d'amuse-bouche. Il y avait parfois plus à en tirer. Mais Harry ne souhaitait écrire qu'un seul épisode. Entrer et sortir, comme pour un bain froid. C'était tout ce qu'il voulait. Entrer et sortir. Un seul épisode n'entacherait pas son âme, du moins pas trop. Sa pièce devrait attendre pendant quelque temps, mais quand il y retournerait, comme un soldat qui retrouve sa femme, il serait un homme riche. Il déménagerait. Il déménagerait dans un endroit où il y aurait de l'air pur et où Breckie habiterait aussi.

« Merci, répondit Scarp. Sur quoi travaillez-vous en ce moment ? Vous avez gagné ce concours pour les moins de trente ans – c'était quand déjà – il y a trois ans ?

– Trois ans ? On est en quelle année ?

– Quatre-vingt-huit.

– Quatre-vingt-huit, répéta Harry. Eh bien alors, le concours, c'était il y a quatre ans en fait.

– Et je parie que vous avez maintenant plus de trente ans. » Scarp sourit et scruta le regard de Harry.

« Eh oui », répondit Harry en détournant les yeux. « Depuis longtemps.

– Vous en êtes où alors ? »

Harry avait l'impression de parler à la police des écrivains de théâtre. Il fallait des alibis. « J'ai traîné chez moi, à manger des bonbons et à me demander en quelle année on pouvait bien être.

– Bien. » Scarp émit un petit rire mystérieux. Il prit son verre, puis le reposa sans y avoir touché. « Comme je vous l'ai déjà dit, je suis toujours à la recherche d'auteurs pour la série. Dernièrement, j'ai écrit plusieurs scénarios, et ce n'est pas pour me déplaire. Mais il m'a semblé que nous devions apprendre à mieux nous connaître, vous et moi. Vous maîtrisez superbement la langue contemporaine et le… hmm…

– L'univers postmoderne ? suggéra Harry.

– Absolument.

– Du jeune Américain déraciné ?

– Absolument. »

Absolument. Les choses n'étaient pas aussi claires pour Harry, qui était pourtant celui qui avait choisi de décrire son œuvre en ces termes.

« Bon, mais de vous à moi, dites-moi un peu où vous en êtes, demanda Scarp. Pas de couteau sous la gorge ni d'arrière-pensées. On apprend simplement à se connaître.

– En fait je travaille sur une pièce de théâtre et j'en suis assez content, mais c'est un travail de longue haleine.

– Figurez-vous qu'à une époque je voulais écrire du théâtre. De quoi parle votre pièce, ou est-ce que c'est secret ? » Scarp commença à siroter sa boisson, prenant la position de l'auditeur attentif.

« Je deviens primitif quand il s'agit de protéger mon travail, dit Harry.

– Et je respecte ça, absolument. » Scarp fronça les sourcils. « Votre famille est américaine ? »

Harry observa Scarp : ses yeux étaient comme des petits médaillons, inertes. Qu'entendait-il par là ? « Oui », répondit Harry. Il lui fallait récupérer Scarp, retenir son attention, et donc il commença à lui raconter, avec les phrases les plus éloquentes qu'il puisse construire, l'histoire de la ville que ses ancêtres avaient fondée dans les Poconos et ce qu'il en était advenu récemment à cause du radon et de l'exode vers Philadelphie et Pittsburgh. C'était un récit triste et complexe, que venait magnifier une sagesse douce-amère, un emprunt direct au monologue principal de sa pièce.

« Tout à fait incroyable », dit Scarp, apparemment impressionné, ce qui mit Harry en confiance. Il fonça tête baissée avec l'histoire du mariage de ses parents, l'alcoolisme de son père, l'opération de son cousin pour changer de sexe et la liaison amoureuse qu'il avait eue jadis avec une des filles Kennedy. Il s'agissait là d'anecdotes fragiles qu'il avait intégrées à sa pièce avec la plus grande délicatesse, et tandis qu'il parlait avec Scarp, les voix de ses personnages prirent possession de sa bouche et récitèrent leurs rôles de manière poignante et convaincante. Il fallait des mots, et c'étaient là les mots que Harry connaissait le mieux.

« Vraiment étonnant », dit Scarp. Il avait commandé deux autres verres, et Harry lui déclama bientôt la grande scène de sa pièce, le récit de la mort de tante Flora la Radine – drôle, déchirant et plein de vie à sa manière.

« Les lumières baissèrent et la lune déversa sur son oreiller ses rayons pâles et oblongs. Nous nous tenions à ses côtés, l'entourant de nos prières, quand elle soupira et prononça dans un souffle son dernier mot sur terre : "Sapristi". »

Scarp hurla de rire. « C'est miraculeux. Vous avez une famille incroyable ! De sacrés personnages ! » Harry grimaça et se cala sur son siège. Il aimait l'homme qu'il était. Il aimait sa vie. Il aimait sa pièce. Il ne se sentait ni mal à l'aise ni humilié pour s'être ainsi servi de son œuvre, ou alors s'il l'était, eh bien il préférait ne pas y penser.

« Harry, dit Scarp tandis qu'il demandait l'addition d'un signe de la main, j'ai passé un agréable moment.

– Moi également.

– Il faut que je file, je dois dîner avec quelqu'un d'infiniment moins intéressant que vous. Vous me promettez que vous songerez à écrire quelque chose pour moi un de ces jours ? Nous n'avons pas besoin d'entrer dans les détails pour l'instant, mais promettez-moi d'y réfléchir. C'est un engagement de ma part.

– Qui vous rendra votre liberté. Absolument.

– Je savais que le courant passerait entre nous. Au fait, vous habitez où ? Je vais prendre un taxi, vous voulez qu'il vous dépose ?

– Oh, ce n'est pas la peine », dit Harry en souriant. Son cœur battait la chamade. « Un peu d'exercice me fera du bien.

– Comme vous voudrez, dit Scarp. Écoutez, ce fut extra. Vraiment extra. » Il offrit à Harry une poignée de mains aussi molle que la première. « Fabuleux. »

Il y a une façon de marcher à New York, en milieu de soirée, vers la Cinquantième Rue Est, qui fait s'ouvrir votre cœur et permet à toute la ville de s'y précipiter pour y bâtir un village. New York cesse de vous allumer, tentatrice mais insaisissable, et se déshabille pour se blottir, éveillée et généreuse, tout contre vous. Elle est là, elle est à vous, elle ne vous domine plus. Et ce n'est pas du tout effrayant, parce que vous l'aimez beaucoup.

« Ah », dit Harry. Il donna de l'argent au fou qui chantait d'habitude devant Carnegie Hall, pas si mal d'ailleurs, mais qui se trouvait à présent, pour une raison inconnue, du côté est de la ville, devant un magasin qui s'appelait Carnegie Shop. Il laissa tomber quelques pièces dans la boîte de conserve de la femme au bonnet de skieur qui se tenait appuyée contre le Fuller Building, la femme au lapin et aux plantes vertes avec une pancarte où l'on lisait : ON VIENT DE M'OPÉRER DU CERVEAU. AIDEZ-MOI S'IL VOUS PLAÎT. « Merci, jeune homme », dit-elle en levant les yeux vers lui, et Harry trouva qu'elle avait l'air étonnamment sexy. Elle ajouta « Bonne journée à vous », bien que ce soit le soir.

Harry descendit dans le métro ; il ne traînait plus la jambe, il sautillait. Sa pièce s'élançait en lui : il avait toujours su qu'elle était bonne, mais maintenant il en était convaincu. Glen Scarp avait écouté, admiratif, et quand il avait ri, Harry avait compris que son instinct et les choix qu'il avait faits durant ces quatre dernières années fabuleuses, passées à façonner et à sculpter sa pièce, ne l'avaient pas trahi. Ses mots pouvaient charmer des représentants blasés d'Hollywood tels que Glen Scarp ; bientôt ces mêmes mots, grâce à leur durable impression, lui permettraient d'écrire un épisode de série télé pour dix ou même vingt mille dollars, et après ça il n'aurait plus jamais à souffrir. Il n'y aurait plus que Breckie, sa pièce et lui. La vie, la vraie. Ils n'en finiraient pas d'aller au restaurant.

Le métro cliqueta dans sa course vers l'ouest, puis s'arrêta, et ses lumières clignotèrent. Harry contempla la publicité *Devenez secrétaire* en face de lui et trouva que le monde était bon, que malgré les lumières clignotantes, et aussi surprenant que cela puisse paraître, finalement, tout allait pour le mieux. Un homme se rua à l'intérieur de la voiture de queue. « Est-ce que vous pouvez me donner une pièce pour nous permettre de manger, mes enfants et moi ? » cria-t-il, en tendant un gobelet en carton et en avançant lentement vers l'endroit où Harry était assis. Les gens jetaient vingt-cinq *cents* dans le gobelet ou alors se mettaient à fixer comme s'ils avaient perdu la raison leur livre posé sur leurs cuisses, sans bouger, pas même pour tourner une page.

Quelqu'un entra de l'autre côté de la rame. « Ne faites pas attention à ce type là-bas. C'est *moi* qui suis dans le besoin ici ! » Harry leva les yeux et vit un homme en haillons coiffé d'un immense sombrero. Une guirlande lumineuse ornait le chapeau, en un ruban chaotique. Il appuya sur un bouton et la guirlande éclaira sa tête de rouge, de vert et de jaune. La rame était toujours à l'arrêt mais le clignotement au-dessus d'eux avait cessé, en même temps que le bruit du moteur. Il y avait seulement le ronflement assourdi du système de ventilation et l'éclairage du sombrero. « C'est moi qui suis dans le besoin ici, répéta l'homme dans l'obscurité étonnamment chaude. Je m'appelle Lothar et je viens de Vénus pour arrêter

Ronald Reagan. C'est un crimincl intergalactique et il faut que je le ramène sur ma planète pour qu'il y soit jugé. Mais mon vaisseau spatial est en panne. J'ai besoin que vous m'aidiez. »

« Amen, cria un usager.

– Bravo, hurla Harry.

– Pouvez-vous m'aider, braves gens, terriens, je vous en prie. Même si vous ne donnez pas grand-chose, ça m'aidera à accomplir ma mission. » Les lumières, semblables à celles d'un sapin de Noël, scintillaient autour de sa tête. Les gens se mirent à applaudir, et tout le monde plongea la main dans son portefeuille pour lui donner de l'argent. Quand la lumière revint et que le métro se remit en route, même l'homme aux enfants affamés souriait du bout des lèvres ; il lança à Lothar : « Je croyais que c'était *ma* rame, mec. » Le métro arriva à la hauteur de la Quarante-deuxième Rue et les gens descendirent de la rame, tapant dans la main de leur voisin ou lui adressant un signe de main plus discret, indifférents à l'odeur d'urine qui flottait dans la station.

La joie de Harry dura cinq jours. Du lundi au vendredi, comme pour un boulot. Le samedi il se réveilla dans tous ses états. Le téléphone n'avait pas sonné. Le facteur ne lui avait pas apporté de courrier. L'appartement sentait un peu le camion et l'égout. Il sortit pour le petit déjeuner, commanda un gâteau de riz, qu'on lui apporta décoré d'une cerise.

« Qu'est-ce que ça veut dire ? demanda-t-il au serveur. Vous ne faisiez pas ça avant.

– Des globes oculaires au marasquin. Le serveur sourit. On vient juste de s'y mettre. Est-ce que vous voulez aussi de la chantilly ? »

De retour chez lui, à la place de Deli, il trouva sur le pas de la porte de l'immeuble une clocharde avec un manteau de toile et des tennis. Il plongea la main dans sa poche pour lui donner une pièce, mais elle détourna le regard.

« Excusez-moi, j'aimerais passer. » Il sortit ses clés.

La femme se leva en colère et attrapa ses sacs plastique. « Vous pouvez rester là, dit Harry. Il faut juste que vous vous poussiez un peu pour que je puisse entrer.

– Trop aimable ! » cria la femme. Ses dents grises avaient le grain d'un vieux morceau de bois. « Merci !

– Mais revenez ! Vous ne dérangez pas ! » La femme parcourut quelques mètres en titubant, se retourna, et se mit à hurler dans sa direction. « Merci pour tout ce que vous avez fait pour moi ! Je vous suis très reconnaissante ! Je vous suis très reconnaissante de tout ce que vous avez fait pour moi durant toute ma vie ! »

Pour se détendre, il s'inscrivit à un cours qui avait lieu trois rues plus loin. Le professeur, une femme petite, obèse et compétente, venait sans cesse lui dire qu'il faisait tout de travers.

« Rentrez le ventre ! Baissez les épaules ! Relevez la tête ! » hurlait-elle dans l'obscurité de la salle. Les autres regardaient. Elle n'aimait pas les grands hommes minces sûrs d'eux. « Relevez la tête ! » lui dit-elle une deuxième fois, et elle lui tira les cheveux pour obtenir l'angle voulu.

« J'ai du mal à croire que vous venez de me tirer les cheveux, lui dit Harry.

– Je vous demande pardon ? » Elle pressa son genou contre ses vertèbres, au milieu du dos.

« Peut-être que je m'en tirerais mieux si vous arrêtiez de me toucher tout le temps, gronda Harry.

– D'accord, d'accord, répondit la prof. Je ne vous toucherai plus », et elle traversa la salle sombre pour s'occuper d'un autre élève. Harry s'allongea et respira profondément, sa colonne vertébrale pressée contre la corde rêche de la moquette. Il se mit une main sur les yeux et resta ainsi, pendant que le reste de la classe continuait à faire le poirier et à s'étirer comme des chats.

La semaine suivante, Harry décida d'essayer un cours de gym suédoise. La séance avait lieu dans un bâtiment situé en face du cours de yoga. La salle était remplie de Blancs en collants pastel et de la *house music* se déversait bruyamment des enceintes placées aux quatre coins de la pièce. Le prof était un Noir mince qui souriait gaiement à ses élèves tandis qu'il les guidait à travers des exercices qui ressemblaient aux mouvements des travailleurs ramassant le coton dans les champs. « Ramassez-moi ce coton », leur criait-il joyeusement en supervisant le groupe et en marchant avec malice dans les rangs. « Ramassez-le vite ! » Il gloussait et se frottait les mains. « Oh, quelle douce revanche ! » Le cours durait une heure et demie et Harry assista au cours suivant, une heure et demie supplémentaire. Il se sentit apaisé, et quand il alla au supermarché ensuite, il était presque serein. Il traîna près des yaourts et des pâtes fraîches. Il remplissait son chariot d'eau minérale, ayant retrouvé la forme, quand un homme dans l'allée d'à côté se fit prendre en train de voler une boîte de soupe de pois au lard.

« Hé ! » cria le gérant du magasin. Deux grands préposés aux rayons attrapèrent l'homme à la soupe. « J'ai rien fait ! » cria-t-il, mais ils le traînèrent par les oreilles à travers le magasin et le firent entrer de force dans la chambre froide où les bouchers travaillaient dans la journée. Ils le passèrent alors à tabac, jusqu'à ce qu'il n'ait plus la force de crier. Il y avait des traces rouges sur le sol du rayon des conserves, à l'endroit où les oreilles de l'homme s'étaient ouvertes comme un fruit et avaient saigné.

« Arrêtez ! » cria Harry derrière les portes battantes de la chambre froide. « Ce genre de violence est inexcusable ! » et au bout de deux ou trois minutes, les employés finirent par laisser partir le voleur. Ils le balancèrent, le visage tuméfié et en état de choc, de l'autre côté des portes battantes, vers la sortie.

Harry se tourna vers quelques autres clients qui, également horrifiés, s'étaient rassemblés derrière lui. « Mon Dieu, dit Harry. J'ai eu deux cours de gym aujourd'hui, et pourtant ce n'est pas assez. » Il laissa son chariot et quitta le magasin pour se diriger vers une cabine téléphonique d'où il appela la police. « J'aimerais vous informer d'un grave problème. Je m'appelle Harry DeLeo, et je suis au coin de la Huitième et…

– Ouais. Harry DeLeo. Les camions. Écoutez, Harry DeLeo, on a de *vrais* problèmes à régler ici », et on lui raccrocha au nez.

La nuit, Harry dormait dans le salon, une pièce décorée, selon Breckie, dans le plus pur style "institut psychiatrique du début du siècle", une pièce sans fenêtres et sans camions, avec un canapé aux accoudoirs rigides. Il mettait des serviettes mouillées contre le bas de la porte de la chambre de façon à ne pas mourir dans son sommeil, même si ça avait toujours été son désir, mais pas tout de suite. Il en mettait également contre le bas de la porte de la salle de bains, au cas où il y aurait unc inondation. En sécurité, barricadé, pris en sandwich entre des serviettes mouillées, comme les œufs farcis à la diable que sa mère avait l'habitude d'emporter en pique-nique. Il dormait d'un sommeil sans rêve, tel un insecte. Le matin il se réveillait tôt, sortait et s'installait dans un box du Cosmos, jusqu'à midi. Il lisait le *Times*, et même le *Post* et le *News* à présent. Parfois il prenait des notes dans les marges pour sa pièce. *Il se sentait prisonnier d'un cauchemar et dans cet état de rêve éveillé que crée le cauchemar, créature à l'intérieur d'une autre.* L'après-midi, il allait voir des films pour ados avec des ados en vedette. Pendant un court moment, ils le consolaient d'une manière qu'il ne pouvait s'expliquer. Peut-être parce que les acteurs magnifiques jouaient des lycéens qui vivaient dans de superbes maisons en Californie. Il n'avait jamais été en Californie, et une seule fois en dix ans – quand il était allé chez les parents de Breckie dans le Minnesota – il avait séjourné dans une maison superbe. Ces films lui rappelaient Breckie, c'était probablement ça, ces visages lisses et ces bras imberbes, ces cœurs idéalistes qui goûtaient à la corruption pour la première fois. Harry quittait la salle malheureux et sortait dans la lumière du jour comme un criminel, les épaules baissées à la manière d'un cintre, le corps engourdi par la chaleur nauséeuse d'une gueule de bois, la veste aussi chiffonnée qu'un drap de lit.

« Harry, t'as vraiment une sale tête », lui dit un jour Deli devant l'immeuble. Elle distribuait des prospectus pour le peep-show. Elle portait une veste en vinyle rapiécée, une robe rouge sans collants, et des escarpins noirs. « Mais bon. Je peux rien faire pour toi – sauf ici. » Elle lui tendit un prospectus. *Des filles pour vingt-cinq* cents*! Pas cher, en direct et nues!* « Je me suis dégoté un travail de jour ; t'es pas fier de moi, Harry ? »

Harry se sentait effectivement fier d'elle, ce qui le surprit. Cette réaction lui semblait un peu déplacée. « Je trouve ça super, Deli, lui dit-il quand même. Vraiment super ! » Des prospectus pour des filles derrière un œilleton, c'était un début. Sans aucun doute.

« Ouais, dit Deli en souriant avec arrogance. Bientôt tu me demanderas de t'épouser.

– Ouaip, répondit Harry en faisant cliqueter sa clé dans la serrure. Quelqu'un l'avait trafiquée pendant la nuit avec un couteau et elle était éraflée et tordue.

– Hé, tu remets un peu cette musique ? » Mais Harry avait réussi à ouvrir la porte et il la claqua derrière lui sans répondre.

Il avait du courrier : un formulaire d'une agence qui cherchait des scénaristes ; une facture d'électricité ; une lettre des services sanitaires accusant réception de sa plainte et lui conseillant de continuer à harceler la police du quartier ; une carte postale pour Breckie envoyée par sa vieille amie Lisa, en voyage à travers l'Italie. *Quel endroit super, ma grande*, avait-elle écrit. *Passe le bonjour à Harry.* Il accrocha la carte au frigo avec un aimant. Il alla à son bureau et regarda autour de lui, puis regarda son bureau. Il s'approcha de la fenêtre qui donnait sur la rue. Deli était toujours là, à distribuer des prospectus, mais plus personne ne les prenait. Les gens passaient près d'elle en faisant mine de ne pas la voir. Finalement, elle resta plantée au milieu du trottoir, laissant la foule s'écarter devant elle comme une vague, puis elle tourna les talons et marcha jusqu'à la poubelle au coin de la rue où elle jeta ses prospectus, ce que tout le monde avait déjà fait.

Le lendemain, Harry reçut un coup de fil de Glen Scarp. « Harry, je dirige une scène pour un copain dans le New Jersey. J'ai une heure entre sept et huit pour prendre un verre avec vous. Je viendrai en hélicoptère. Vous pourrez vous libérer ?

– Je ne sais pas, dit Harry. Je suis occupé. » Il était important de garder ses distances avec ces mecs-là, de se rendre un peu inaccessible, de se comporter comme si vous aviez un hélicoptère vous aussi. « Vous pouvez me rappeler plus tard ?

– Bien sûr, bien sûr, répondit Scarp, comme s'il ne comprenait que trop bien. Que diriez-vous de quatre heures et demie ? Je vous passerai un coup de fil à ce moment-là.

– D'accord. D'ici là je devrais savoir ce que sera mon emploi du temps – il réprima un toussotement – pour la soirée.

– Mais bien sûr, répondit Scarp. Super. »

Harry gardait son linge sale dans un sac en bas de son placard. Il prit le sac, y fourra deux caleçons qui traînaient dans la chambre, et fila au lavomatique coréen en face de chez lui, avec une grosse boîte d'une sous-marque de lessive en poudre ultra-concentrée. Il lança une machine, très excité, joua des coudes pour obtenir un sèche-linge, alla à côté commander un sandwich avec un œuf au plat et du ketchup, qu'il mangea assis sur le rebord de la fenêtre du lavomatique, à côté d'un mac avec cravate en satin.

À quatre heures et demie, quand Scarp appela, Harry lui répondit : « Tout est réglé. Où vous voulez, quand vous voulez. »

Cette fois-ci ils se retrouvèrent dans un restaurant qui s'appelait Le Zelda. Harry portait des sous-vêtements et des chaussettes propres.

« On féminise un peu trop de nos jours, vous ne trouvez pas ? » dit Harry. Il était venu ici auparavant et avait déjà fait cette remarque. « Tous ces restaurants ont des noms d'ouragans. » Le Zelda servait une cuisine fusion d'inspiration créole. On y mangeait par exemple des filets de saumon accompagnés de macaronis au fromage, avec des arêtes dans le poisson et dans les pâtes. Des capes, des ponchos et des robes d'été étaient suspendus au plafond. Ce ne pouvait être que l'idée qu'une Sudiste timbrée se faisait d'un restaurant.

Harry et Scarp s'assirent près du piano bordé de plantes vertes de chaque côté.

Scarp allait à la pêche aux informations. « Il n'y a rien…

– De tel que les affaires ! explosa Harry.

– Oui », dit Scarp, un peu surpris. Il portait un jean et une chemise en lin et arborait à nouveau une broche, cette fois-ci en péridot et en grenat, piquée près du col. Il buvait un Martini.

Harry ne buvait pas d'alcool. Il avait commandé de l'eau gazeuse et se servait de grandes poignées du mélange de noix posé devant lui. Il n'avait pas fumé une seule cigarette depuis l'arrivée des camions, et il ressentait maintenant le besoin de se mettre quelque chose dans la bouche, quelque chose qui obligerait sa main à faire plusieurs allers-retours entre la table et lui. « Alors, parlez-moi un peu de ce truc que vous avez tourné dans le New Jersey », lança Harry sur un ton aimable, mais la pellicule d'une cacahuète se coinça dans sa gorge et il commença à s'étouffer ; son visage devint rouge et méconnaissable, aussi effrayant que celui d'un gorille. Scarp poussa le verre d'eau gazeuse vers lui et détourna poliment le regard.

« C'est le projet d'un vieil ami », répondit Scarp. Harry hocha la tête, mais il avait les yeux remplis de larmes et il avalait de grandes rasades d'eau gazeuse. Scarp feignit de ne rien remarquer et d'avoir à rassembler ses pensées en étudiant les objets autour de lui. « Il réalise ce film sur la culpabilité bourgeoise – comment peut-on être bourgeois et artiste en même temps...

– Vraiment », croassa Harry. Ses yeux étaient embués.

« ... comment la culpabilité vous déchire le cœur et comment, au bout du compte, tout ça est inacceptable. Flaubert disait : “Soyez bourgeois dans votre vie afin d'être entreprenant dans votre art.” »

Harry se racla la gorge et recommença à tousser. La pellicule de la cacahuète était toujours logée dans sa gorge, sèche et irritante. « Je ne fais pas confiance aux traductions », dit-il d'une voix âpre. Il avala une grande rasade d'eau gazeuse et sentit que le sang quittait un peu son visage. Il y eut un silence, puis Harry ajouta : « Flaubert a-t-il jamais écrit de pièce ?

– Sais pas. De toute façon, c'était juste une scène que je tournais pour mon copain qui avait été appelé par un directeur de studio. Il s'agissait d'une rencontre amoureuse dans les règles de l'art chez le pédicure. Vous vous êtes déjà fait pédicurer ?

– Non.

– Vous devriez, vraiment. C'est un des grands plaisirs de la vie... »

Mais j'ai eu des verrues plantaires. Il faut les brûler avec de l'acide, puis mettre un pansement...

« Vous ne vous sentez pas bien ? demanda Scarp, qui eut l'air préoccupé tout d'un coup.

– Ça va. C'est simplement que je viens d'arrêter de fumer. Et il y a eu subitement tout cet air dans mes poumons. C'est quoi, une rencontre amoureuse ?

– Une rencontre amoureuse ? Deux personnes se rencontrent et tombent amoureux…

– Oh », dit Harry.

Scarp rit. « Vous autres, écrivains, dit-il en sifflant son Martini. Nous autres écrivains, devrais-je plutôt dire. Au fait, j'ai un aveu à vous faire : je vous ai fauché vos idées sans scrupules. » Scarp souriait fièrement.

« Ah bon ? » dit Harry. Quelque chose s'organisa à l'intérieur de lui. Son dos se redressa et ses pieds s'éloignèrent de ceux de la table.

« Quand nous nous sommes vus la dernière fois, je travaillais sur un épisode de la série où Elsie et John, les deux personnages principaux, sont confrontés à toutes sortes de problèmes familiaux, y compris la mort d'une parente âgée.

– Ça ne me paraît pas vraiment du vol.

– Eh bien, ce que j'ai fait, c'est que j'ai utilisé un peu de ce matériel que vous m'avez donné au sujet de votre famille et du radon – vous verrez –, et le passage fabuleux sur la mort de votre tante Flora pendant que vous sortiez avec la fille Kennedy. L'épisode doit être diffusé le mois prochain. En fait, je vous passerai un coup de fil quand je saurai exactement quand. »

Harry ne savait pas quoi dire. La salle se mit à tourner autour de lui à une vitesse vertigineuse et l'éjecta, parce qu'il n'en avait jamais vraiment fait partie. « Pardon ? » bégaya-t-il. Sa main commença à trembler et il la fit bouger rapidement dans l'air.

« Je vous appellerai. Quand ça passera. » Scarp fronça les sourcils.

Harry fixait le grain strié de la table – un arbre ouvert en deux pour montrer ses entrailles. « Quoi ? » dit-il, finalement, hébété. Il souleva son verre d'eau gazeuse et le but d'un trait. Il le reposa dans un bruit lourd. « Vous m'avez fait ça ? Vous m'avez vraiment fait ça ? » Il hurlait à présent. Les gens à la table la plus proche du piano se retournèrent pour les observer. « Je dois partir. »

Scarp regarda sa montre nerveusement. « Oui, je dois partir moi aussi.

– Non, vous ne comprenez pas ! » hurla Harry. Il se leva, immense au-dessus de Scarp. « C'est *moi* qui dois partir. » Il repoussa sa chaise en arrière et elle tomba de tout son poids dans une plante verte. Il se dirigea rapidement vers la porte puis la poussa de toutes ses forces.

La nuit venait juste de tomber, chaude, l'air dégelant en douceur dans une odeur de poubelle. Le centre-ville regorgeait de marins. Ils étaient tous jeunes, en permission sur la terre ferme, et excités dans leurs costumes noir et blanc près du corps, explorant Manhattan en ayant conscience, habillés ainsi, qu'il s'agissait d'un plateau de cinéma pour lequel ils avaient acheté des billets ; ils savaient que le parc était ouvert, *le parc était ouvert !* et qu'il y avait des filles et des endroits où des filles les attireraient contre elles, des filles qui savaient ce qu'ils savaient, même si elles semblaient bien trop jeunes pour savoir. Harry boitilla en passant près des marins agglutinés en grappes juvéniles et bruyantes, et puis il se mit à cavaler. Des vieillards vendaient des œillets au coin de la rue, et il n'arriva pas à entendre ce qu'ils disaient quand il les dépassa. Au Hercule, on passait *Désirée la Cochonne* et *Baiseur des bois*, et les marins s'y bousculaient. Les taxis qui avaient terminé leur journée après avoir déposé leurs derniers clients au théâtre se précipitaient vers le Burger King de la Dixième avenue pour manger un bout. Harry espérait que mettre une rue après l'autre sous ses pieds libérerait son cœur, mais ça ne supprimerait hélas pas les marins : il n'y avait rien à faire pour s'en débarrasser. Ils étaient partout, sans casquette, marins d'eau douce déterminés. Un peu plus haut, au niveau de sa rue, il vit une femme qui ressemblait à Deli partir avec deux d'entre eux, un à chaque bras. Effectivement, c'était bien elle.

Il s'arrêta, pétrifié, puis repartit. « Oh, Deli », murmura-t-il. Mais qui était-il pour murmurer ? Il avait voulu faire la pute lui aussi, il avait enfilé de bonnes vieilles cuissardes et marché – pour découvrir en fin de compte qu'il était juste une traînée.

Tout tombe à l'eau, pensa-t-il. *Tout tombe à l'eau.* Il resta un moment devant le peep-show. Les lumières dorées qui scintillaient autour de l'auvent lui faisaient de l'œil.

« T'as besoin de quelque chose, mec ? siffla un type qui urinait dans le caniveau. J'ai des putes, j'ai des bites, j'ai du crack. »

Harry se dirigea vers la caisse dans la guérite à l'entrée. Il glissa un dollar sous la vitre et la caissière lui donna en échange quatre jetons. « Qu'est-ce que j'en fais ? » dit-il en regardant les jetons, mais la caissière ne l'avait pas entendu. Deux marins arrivèrent derrière lui, en achetèrent pour quatre dollars, et entrèrent en souriant.

Harry les suivit. L'intérieur éclairé et sa cage d'escalier faisaient penser à une discothèque. Le mur était une enfilade de portes de bois. Il passa devant trois d'entre elles, et puis entra en trébuchant dans la quatrième cabine. Il ferma la porte, s'assit sur le banc, respira profondément et pleura Breckie, Dieu, et cette vie ici-bas qui semblait parallèle à sa vraie vie, comme la rive opposée d'une rivière qu'il n'arriverait jamais à atteindre, malgré tous ses efforts. Il regarda les jetons dans sa main. Ils avaient laissé des traînées bleuâtres dans sa paume à cause de l'humidité ambiante, menaçant de fondre si on ne les utilisait pas. Il tâtonna dans l'obscurité, en plaça un dans la fente, et un écran noir se souleva de derrière la vitre. Devant lui, dansant sous les spots, il vit une Fille à vingt-cinq *cents*, nue, la trentaine, les cheveux auburn, le teint pâle : le *National Geographic* vous propose un documentaire sur l'Irlande. Il y avait de la musique et elle tournoyait, lasse et indifférente. Mais tandis qu'il la regardait, elle sembla lever les yeux, découvrir sa présence, se diriger lentement vers lui en souriant, jusqu'à ce qu'elle presse sa poitrine contre sa glace, la sienne, pas celle des autres. Il grogna, plaça sa bouche sur la rose unique et froide de son sein, sur la vitre dure et sale, et pensa qu'avec le temps, dans cette ville merveilleuse, il réussirait à le réchauffer grâce à ses efforts, comme s'il était réel.

Joie

L'automne arrivait, Jane le savait, quand de petites choses se mettaient à disparaître. Le poisson se déversait sur les rives et personne ne se serait risqué à manger des coquillages. Les ostréiculteurs ratissaient le fond des océans et ramenaient à la surface les huîtres mortes. Aussi noires que du jais, pour une raison inconnue. Les gens à l'intérieur des terres tremblaient rien que d'y penser et imaginaient les océans et puis la planète entière se soulever en une vague de soupe de poisson, coléreuse et encrée – l'équivalent d'un bol de soupe. C'était aussi loin que leur imagination pouvait les emporter, et c'était déjà trop. En quoi cela les concernait-il ? Ils éteignaient rapidement leurs radios, laissaient la vaisselle dans l'évier, et sortaient. Ou alors, ils se branchaient sur une station musicale. L'automne était une saison faite pour égarer tout ce qui était petit, des babioles qu'on croyait à soi. Un bracelet en perles – le cadeau d'un amant – pouvait s'éclipser pendant la nuit, fatigué mais empli de désir. La pluie cessait d'un coup et le sol s'effritait. Les animaux devenaient fous à force d'avoir soif. Les écureuils, flairant l'eau sur la route, rongeaient les tuyaux des voitures et mouraient ensuite sur les bas-côtés. « Comme tant d'autres », dit un présentateur radio qui passa ensuite une chanson.

Le chat de Jane avait des puces, quelques-unes seulement dont elle allait se débarrasser en emmenant son animal chez le toiletteur pour un bain-rinçage-brossage. Des rumeurs couraient à propos des puces. On racontait qu'elles festoyaient sur votre corps cinq ou six fois par jour sans jamais lâcher le morceau. Vous vous réveilliez la nuit, en sueur, avec des démangeaisons et votre salive devenue gluante, blanche et filandreuse vous empêchait de parler. Vous pourriez regarder votre vie de l'extérieur et ne plus la reconnaître.

Le toiletteur était installé dans le cabinet d'un vétérinaire à l'ouest de la ville. La clientèle du cabinet était composée de gens riches, et pour cette raison Jane avait l'impression de s'occuper de son animal le mieux du monde. Son chat dormait la nuit sur l'oreiller à côté d'elle et arrivait en courant – heureux de la voir ! – quand elle se garait devant la maison.

Ce matin-là il lui fallait venir avec lui avant huit heures. Les chiens arrivaient à huit heures cinq, et le vétérinaire aimait que les chats entrent les premiers dans le cabinet, afin d'éviter les problèmes. En fait, le chat de Jane appréciait les chiens et, curieux, aimait à les observer, bien à l'abri dans les bras de sa maîtresse. Jane ne se souciait donc guère de cette règle des huit heures. Quand elle arrivait là-bas en retard, à cause de la circulation ou d'une énième tasse de café – il lui en fallait déjà trois simplement pour s'habiller le matin –, personne ne semblait s'en formaliser. On se contentait de commenter les bonnes manières de son chat.

Il lui fallait généralement un quart d'heure pour se rendre à l'ouest, à cause de l'étendue de la ville, et Jane écoutait la radio très fort en chantonnant : « *I've forgotten more than she'll ever know about you.* » Aux feux rouges, elle se tournait pour tenter de rassurer son chat qui, contrarié, perdait ses poils sur le siège passager. Devant eux il y avait un break qui avançait lentement, et Jane remarqua une petite fille qui faisait des signes de la main et des grimaces par la vitre arrière. Jane lui rendit la pareille : elle se mit à tirer la langue, rabattant des mèches de cheveux sur son visage et clignant de l'œil avec excès, d'abord d'un côté, puis de l'autre. Il lui fallut un moment pour comprendre que ce n'était pas *elle* que la petite fille regardait, mais les voitures en général. Jane redevint donc sérieuse, rentra la langue et remit de l'ordre dans sa coiffure. Mais le père de la fillette avait déjà remarqué le cirque de Jane dans son rétroviseur et il la regardait maintenant fixement d'un air horrifié. Il ralentit pour l'observer un peu plus, puis accéléra pour s'éloigner.

Jane se mit dans l'autre file, changea de station et finit par trouver une chanson qu'elle aimait, un air mélancolique mais entraînant. Elle adorait chanter. Chez elle, elle avait les haut-parleurs branchés dans la cuisine, et debout devant l'évier, une éponge imbibée de liquide vaisselle à la main, elle chantait et elle lavait, elle chantait et elle rinçait. Elle chantait « *If the Phone Don't Ring, I know It's You* » et « *What Love Is to a Dove* ». Elle chantait « *Jump Start My Heart* » à tue-tête, fredonnant quand elle ne connaissait pas les paroles. Elle aimait toutes sortes de musiques. Quand elle était adolescente, elle pensait que les stations de musique d'ambiance diffusaient de la musique classique, et encore aujourd'hui ses goûts étaient restés variés et peu sélectifs – tout ce qu'elle voulait, c'était chanter. La plupart du temps elle ne s'inquiétait pas de savoir si oui ou non les gens pouvaient l'entendre, encore qu'une chose gênante se soit produite récemment. Son propriétaire était entré chez elle en pensant qu'elle était absente et l'avait surprise en train de chanter avec un accent britannique. « Excusez-moi, avait dit le propriétaire. Je suis vraiment désolé.

– Oh, répondit-elle. Je m'entraînais simplement pour le… Vous êtes venu vérifier les fusibles ?

– Oui », dit le propriétaire, se demandant bien à quel genre de locataires il avait affaire ces temps-ci.

Jane avait, en guise d'aventure, vécu dans l'ouest de l'Oregon, mais elle était revenue dans le Midwest quand son petit copain et elle avaient rompu. C'était un Allemand qui fabriquait des chevaux à bascule et des cages à écureuil pour enfants. Comme elle, il était nouveau dans le coin. De temps à autre son anglais était maladroit et truffé d'expressions mal comprises comme « z'est le biais » et « chagun ses bouts ». Une fois, alors qu'elle s'était habillée pour sortir dîner, il lui avait dit qu'elle était « folie ». Il aimait vivre dangereusement et faisait toujours le tour de la ville avec la jauge d'essence au minimum. « Medez-fous dans une fille et restez-y », criait-il aux autres conducteurs. Il préparait le pire café que Jane ait jamais goûté, boueux et avec un goût de brûlé, elle le buvait néanmoins et passait de longues heures dans son lit le dimanche. Mais au bout d'un moment il prit l'habitude de sortir sans elle et de rentrer à deux heures du matin. Elle commença à l'appeler tard chez lui, laissant le téléphone sonner, avant de faire le tour de la ville à la recherche de sa voiture, qu'elle finissait généralement par trouver devant un bar. Ça ne lui ressemblait pas d'espionner ainsi, mais la ville était petite et elle avait trouvé difficile de résister à la tentation. Une fois au volant de sa voiture, c'était comme si elle passait de l'autre côté d'un mur et quittait un monde aux règles strictes pour un monde plus libre. Quand elle avait repéré le véhicule de son petit copain, elle entrait dans le bar, et si elle le voyait au comptoir, enlaçant mollement une autre femme, elle lui tapait sur l'épaule et lui disait : « Qui c'est, cette greluche ? » Et puis elle lui renversait sa bière sur les cuisses. Elle n'était plus elle-même. Elle devenait une sauvageonne de l'Ouest, déboulant dans les saloons, les portes battant derrière elle. Bientôt, pensait-elle, les propriétaires des bars auraient peur d'elle. Bientôt ils hurleraient des mises en garde, comme des marins face à la tempête : *Femme à bâbord !* Et donc, après quelque temps, elle quitta l'Oregon et revint seule dans le Midwest. Elle loua une maison, trouva un boulot dans un magasin qui vendait des vêtements pour femmes obèses, puis chez le fromager du centre commercial.

Pendant quelque temps elle pleura son petit copain, croyant qu'il l'avait amarrée et empêchée de dériver vers le *no man's land*, ce pays des crises de larmes nocturnes et des animaux domestiques avec bien trop de jouets miniatures. Mais à présent elle pensait rarement à lui. Jane savait qu'il n'y avait que de petites joies – les grandes étaient trop compliquées, quand on y réfléchissait – et une fois qu'on l'avait compris, la vie devenait beaucoup plus facile. On pouvait mettre le stress de côté, comme on range un jeu d'enfant, avec sa boîte aux bords déchiquetés. L'entreposer dans un vieux placard et ne plus y penser.

Jane se gara dans le parking du vétérinaire à huit heures dix. Elle prit le chat dans ses bras, ferma la portière de la voiture d'un coup de hanche, et entra. Bien que l'atmosphère de la pièce fut un peu lourde – humide à cause de la peur animale et tendue à cause des médicaments, des hurlements étouffés lui parvenant du fond du couloir – la salle d'attente lui semblait agréable. Optimiste même, avec ses ficus. Il y avait des magazines sur les tables et des cendriers en verre de Murano. Des aquarelles pastel étaient accrochées au mur et un panneau de soie dans un cadre en métal blanc disait : LES ANIMAUX DOIVENT ÊTRE TENUS EN LAISSE OU PAR LEUR MAÎTRE. Jane se dirigea vers le comptoir semi-circulaire en face d'elle et y déposa le chat. Derrière elle, un homme assis tenait en laisse un labrador léthargique auquel le chat de Jane jeta un coup d'œil furtif en tremblant un peu. De l'autre côté de la salle d'attente se tenait un gros caniche avec le regard féroce d'un doberman. Il avait les oreilles non coupées, et sa maîtresse, une jeune femme dans les vingt ans, lui répétait : « Viens ici, Rex. Couché, bébé. »

« Que puis-je faire pour vous ? » demanda la femme à l'accueil. Elle avait les yeux rivés à son écran d'ordinateur, tapait sur son clavier, et étudiait des colonnes colorées de chiffres et de dates.

« Je suis venue amener mon chat pour un toilettage, dit Jane. Je m'appelle Konwicki. »

La femme sourit et hocha la tête. Elle pianota sur son clavier. « Et le nom du chat ? demanda-t-elle.

– Fluffers », répondit Jane. Elle avait pensé à l'appeler Joseph, mais elle y avait renoncé.

La femme s'éloigna de l'ordinateur sur sa chaise à roulettes. Elle prit un grand micro argenté et annonça :

« Fluffers Konwicki pour un toilettage. » Elle reposa le micro. « Le toiletteur va arriver. Vous pouvez attendre ici. »

Jane serra le chat contre sa poitrine et alla s'asseoir dans un fauteuil de réalisateur en faux cuir, en face de Rex le caniche. Une femme et ses deux enfants entrèrent avec un landau. La femme tint la porte ouverte et le petit garçon et la petite fille poussèrent le landau, en y jetant des coups d'œil et en glapissant des questions et des petits noms. « Gooby, ça va ? demanda le garçon. Gooby sait qu'il est chez le docteur, maman.

– Attendez-moi ici, les enfants », dit la mère et elle s'approcha de l'accueil avec un sourire fatigué. Elle repoussa la frange de son front, posa ses mains à plat sur le comptoir et les observa pendant un instant, comme si c'était la première fois depuis le début de la matinée qu'elle les voyait au repos. « Nous amenons un chat pour une opération », dit-elle en relevant la tête. « Je m'appelle Miller.

– Miller », répéta la femme derrière le comptoir. Elle tapa quelque chose sur son clavier. Elle hocha la tête, puis se leva pour regarder un panneau près de la caisse. « Miller, Miller, dit-elle d'un air absent. Miller. Ah oui ! Voilà ! » Elle sourit à Mme Miller. Le monde était à nouveau cette machine bien huilée sur laquelle elle comptait : on finissait toujours par tout retrouver. « Vous voulez bien amener le chat par ici ? »

Mme Miller se tourna vers les enfants. « Les enfants ? Vous pouvez amener le chat par ici ? » Le petit garçon et la petite fille poussèrent le landau d'un pas solennel, comme pour une procession. La femme contourna le comptoir et leur ouvrit la porte qui donnait sur le cabinet. « Poussez donc le chat par ici », dit-elle. Elle portait des chaussures blanches, à présent visibles.

Ils ressortirent au bout d'une minute, les enfants traînant le landau vide derrière eux et Mme Miller soupirant, souriant et remerciant la femme aux chaussures blanches qui lui demanda de repasser après quinze heures. D'ici là les effets de l'anesthésie auraient disparu, et le vétérinaire serait mieux à même de répondre à leurs questions.

« Merci encore, dit Mme Miller. Les enfants ?

– Maman », dit la petite fille. Elle avait marché jusqu'à Jane et caressait maintenant son chat, levant de temps à autre les yeux vers Jane pour savoir si elle était autorisée à continuer. « Maman, regarde ; la dame, elle a un chat aussi. » Elle appelait sa mère, mais c'est son frère qui la rejoignit. Ils glissèrent tous les deux leurs petites mains semblables à des étoiles dans la fourrure de Fluffers.

« Ça te plaît ? » demanda Jane à son chat, et le chat leva les yeux vers elle d'un air indécis. Elle lui fit légèrement hocher la tête, comme s'il répondait à la question.

« Il s'appelle comment ? » demanda la petite fille. Sa main avait trouvé la peau du cou du chat et la pétrissait. Celui-ci leva le menton en signe de plaisir.

« Fluffers », répondit Jane.

La voix de la fillette monta d'une octave vers une tonalité féline. « Bonjour Fluffers », dit-elle moitié chantant, moitié couinant. « Comment tu vas aujourd'hui, Fluffers ?

– Il est malade ? demanda le garçon.

– Oh non. Il a juste besoin d'un bain spécial.

– Tu vas prendre un bain, Fluffers ? » roucoula

la fillette, en plongeant son regard dans les yeux du chat.

« Notre chat va être opéré, dit le garçon.

– C'est triste », dit Jane.

Le garçon eut l'air fâché. « Non, c'est bien. Après, il ira beaucoup mieux.

– Oui, certainement.

– Fluffers vient de me lécher le doigt », s'exclama la fillette.

Leur mère arrivait à présent derrière eux et posa les mains sur leurs têtes. « Il faut y aller, les enfants, leur dit-elle. Superbe chat », lança-t-elle à Jane.

Le fromager chez qui Jane travaillait se trouvait dans un des nouveaux centres commerciaux en dehors de la ville. Le magasin s'appelait *L'île suédoise* et elle venait d'être récemment promue au rang de gérante adjointe. Elles n'étaient jamais plus de deux dans le magasin, Jane et une femme plus âgée qui s'appelait Heffie et qui s'occupait de la caisse pendant que Jane proposait aux clients dans la galerie commerciale des dégustations de fromages, le plus souvent des biscuits salés tartinés de spécialités fromagères. Le gérant leur avait dit que c'était Heffie qui devait s'occuper des dégustations et Jane de la caisse et des listes de prix, mais étant également le sous-inspecteur de tous les magasins de la région, il était trop occupé pour les surveiller. La plupart du temps, Jane continuait donc à s'occuper elle-même des dégustations. Elle aimait le contact avec les clients. « Vous voulez goûter notre fromage aux fines herbes ? » demandait-elle gaiement. Elle avait l'impression d'être Molly Malone, en plus amicale et sans les moules. Ici pas un fruit de mer à des kilomètres à la ronde. On était au fin fond du Midwest. Au rayon boucherie des supermarchés, on achetait du bœuf, du porc et du poisson pané.

« C'est gratuit ? » demandaient les gens, et ils prenaient un des biscuits salés ou des carrés de pain disposés sur son plateau en plastique.

« Bien sûr. » Elle souriait et observait leurs visages tandis qu'ils mâchaient. Si c'était un homme qu'elle trouvait séduisant, elle répondait : « Non, pour vous ce sera un million de dollars », puis elle gloussait de la manière la plus discrète et la plus enjouée. Parfois les clochards – de vieux hippies paumés ou alors les musiciens qui faisaient la manche dans le centre commercial – se mettaient en file, et elle les nourrissait tous, comme Dorothy Day aidant à la Soupe populaire. Elle avait lu un article sur cette militante catholique dans un magazine il y a quelque temps.

« Tu ne serais pas un peu en retard ? » lui demanda Heffie ce jour-là. Elle était en train de tirer sur son soutien-gorge et paraissait de fort mauvaise humeur. Ses cheveux se clairsemaient sur le devant, et elle retenait les mèches du dessus avec des barrettes qui n'étaient plus de son âge. « C'est moi qui ai dû ouvrir la caisse. On n'aurait pas été dans le pétrin si le gérant était passé. Heureusement que j'avais les clés.

– Je suis désolée. J'ai dû emmener mon chat chez le vétérinaire ce matin, à l'ouest de la ville. Il y a eu des clients ? » Jane jeta un regard craintif à Heffie, un regard qui signifiait « Pardonne-moi, s'il te plaît », et aussi « Qu'est-ce qui ne va pas ? » ainsi que « Bonne journée ». La gentillesse était le machisme du Midwest. C'était un sport. On plissait son visage en un sourire et on gardait la pose avec l'arrogance d'un chat.

« Non, personne, répondit Heffie, mais on ne peut jamais savoir.

– Eh bien, merci d'avoir fait l'ouverture. »

Heffie haussa les épaules. « C'est toi qui t'occupes de la dégustation aujourd'hui ?

– Ben oui, dit Jane en feuilletant quelques pages de son bloc-notes. À moins que *tu* veuilles t'en occuper, *toi.* » Il y avait dans sa réponse un soupçon d'accusation mêlé à une pincée de mesquinerie. Heffie n'avait pas vraiment envie de se charger des dégustations, ce qui plaisait à Jane. Heffie n'aimait pas vraiment faire quoi que ce soit, et quoi que Jane fasse, cela paraissait à Heffie toujours plus amusant et plus facile. Alors parfois cette femme plus âgée se plaignait un peu avec un haussement d'épaules ou un soupir.

« Nan, dit Heffie. Une autre fois. » Elle fit glisser la porte en verre du comptoir réfrigéré et attrapa un fromage esseulé, orange vif et à la forme tarabiscotée, qui ressemblait à une pièce de jeu pour enfants. Elle l'avala tout entier. « Tu as déjà fait du surf ? demanda-t-elle à Jane.

– Du surf ? » répéta Jane incrédule. Elle ne comprendrait jamais d'où lui venait ce genre de questions.

« Ouais. Du surf. Tu sais – y a des gens qui en font. La planche en fibre de verre sur laquelle tu te tiens au-dessus de l'eau et puis y a une vague qui arrive ? » Le visage de Heffie était comme une lune enneigée, vierge de toutes les choses qu'elle n'avait jamais faites.

Jane regarda ailleurs. « Une fois, il y a quelques étés, j'ai fait du ski nautique sur un lac, dit-elle. Dans l'Oregon. C'est tout. » Son petit copain, le fabricant de jouets, aimait faire ce genre de choses. « Foyons, Jane », lui avait-il dit. « Tu ne fis qu'une vois. » Ce qui lui semblait une raison supplémentaire de faire attention, d'y aller mollo et de mener une vie ordinaire. Elle n'aimait pas se lancer dans des aventures dont le seul but était de s'en sortir vivant.

« Le ski nautique, pffff, dit Heffie. C'est rien en comparaison du surf. Il n'y a pas les vagues, le *danger*. » Jane leva les yeux de son bloc-notes et regarda Heffie partir en se dandinant, le dessus de ses pieds débordant de ses chaussures, gonflés comme de la pâte. Heffie se dirigea vers les pains aux raisins et aux noix, posa rapidement la main dessus, puis disparut.

« Vous voulez goûter notre chester au raifort ? » Jane sourit et tendit le plateau. Elle avait déposé des petites cuillerées de fromage à tartiner sur des galettes de riz qui avaient mauvaise mine et elle tendait à présent son plateau aux gens comme le ferait un traiteur avec ses *hors-d'œuvre* à une soirée chic. Des *hors Douvres*, comme les appelait sa mère. « Vous voulez goûter notre crème de chester au raifort, l'offre spéciale du jour ? » Au moins, ce n'était pas comme de devoir parfumer les gens. Le mois dernier, elle avait rencontré l'employée préposée aux parfums dans le magasin d'à côté. La fille, qui venait de Floride, lui avait confié : « Parfois tu vises les yeux, et ce n'est pas toujours un accident. » Les centres commerciaux, Jane le savait, étaient pleins de vendeuses avec des histoires à raconter. Cœurs brisés, petits copains en prison. Une fois, la semaine précédente, deux filles de dix ans, l'une boulotte et l'autre mince, l'avaient abordée pour lui vendre des barres chocolatées. Elles l'avaient regardée comme si elle était une version d'elles-mêmes, en plus âgée, une femme à qui elles ressembleraient quand elles seraient grandes. « Vous voulez bien nous acheter une barre chocolatée ? » lui demandèrent-elles en regardant fixement le plateau de dégustation. Jane leur offrit une galette de riz avec un gros morceau de fromage, mais elles refusèrent poliment.

« Eh bien, vous vendez quel *genre* de barres chocolatées ?

– Amandes ou nougatine. » La plus enveloppée des deux, qui portait un sweat violet et un pantalon en velours côtelé lavande, serrait un sac en papier déchiré contre sa poitrine.

« Est-ce que c'est pour les Scouts ? » demanda Jane.

Les filles se regardèrent. « Non, c'est pour mon frère », répondit la fille ronde. Sa copine lui donna une bourrade.

« C'est pour *l'équipe* de ton frère, siffla la copine.

– Ouais », acquiesça la fille. Jane acheta une barre chocolatée à la nougatine et finit par les convaincre de goûter le fromage du jour. Elles acceptèrent avec une légère grimace. « Z'avez un mari qui conduit un camion ? demanda celle en violet.

– Ouais, dit l'autre. Il conduit un camion ? » Et quand Jane secoua la tête, elles froncèrent les sourcils et s'en allèrent.

Un homme avec un chandail bleu comme son père avait l'habitude d'en porter s'arrêta et faucha discrètement une galette sur son plateau. « Combien ? » demanda-t-il, et elle allait lui répondre « Un million de dollars », quand elle entendit quelqu'un crier son nom.

« Jane Konwicki ! Comment ça va ? » Une femme à peu près de l'âge de Jane, et portant un tailleur rouge vif, avança rapidement vers elle et l'embrassa sur la joue. L'homme au chandail bleu s'éclipsa. Jane regarda l'inconnue au tailleur rouge sans réussir à se rappeler qui elle était. Les traits animés de la femme se figèrent un instant et le déclic se fit ; elle reconnut Bridey, une amie d'il y avait quinze ans, qui était assise à côté d'elle dans la chorale du lycée. Il était curieux de constater, si la personne restait immobile pendant que vous l'observiez, à quel point les gens ne changeaient pas vraiment. Les modes passaient et la femme que Bridey était devenue dans le tourbillon des différentes vogues contenait toujours la même jeune fille. Tous les âges de Bridey – l'enfant, la vieille femme – étaient inscrits sur son visage. Il était comme une mangeoire à oiseaux ouverte où chacune de ses années passées et à venir serait venue se nourrir.

« Bridey, tu es superbe. Qu'est-ce que tu as fabriqué ces derniers temps ? » Elle pensa que c'était une question stupide à poser à quelqu'un qu'on n'avait pas revu depuis le lycée, mais il était trop tard.

« L'année dernière je suis tombée raide amoureuse », dit Bridey avec une grande fierté. Il était clair que c'était ce qui se trouvait tout en haut de sa liste, et sa voix laissait entendre que la liste était longue. « Et nous nous sommes mariés. Nous sommes revenus ici après avoir vécu à la dure dans le quartier sud de Chicago. C'est super d'être de retour, je t'assure. » Bridey prit une galette au chester, et puis une autre. Le fromage se colla sur ses dents de devant en un mortier pâteux et jaunâtre, et quand elle l'eut avalé, et qu'elle sourit à Jane, eh bien il était encore là, tel un mal nécessaire.

« Tu sembles si… *heureuse* », dit Jane. Derrière elle, Heffie traînait bruyamment les pieds dans le magasin.

« Oh, mais c'est que je le suis. Je n'arrête pas de tomber sur des anciens camarades de lycée, et c'est tellement amusant. En fait, Jane, tu devrais venir avec moi ce soir. Tu sais ce que je vais faire ?

– Quoi ? » Jane jeta un coup d'œil par-dessus son épaule et vit Heffie qui testait les fromages à tartiner du comptoir réfrigéré. Elle enfonçait bien son doigt et puis elle le léchait lentement, comme une glace.

« Oh, chuchota Bridey d'un air inquiet. C'est une cliente ou une employée ?

– Une employée.

– Quoi qu'il en soit, je vais essayer d'entrer dans la chorale de la ville, continua Bridey. Ça fait partie de mon nouveau programme. Je prends des cours d'allemand…

– Tu apprends l'allemand ? l'interrompit Jane.

– Et des cours de cuisine. Je veux aussi reprendre la chorale.

– Tu as toujours été bonne en chant. » Bridey avait souvent décroché des solos.

« Ach, j'ai la voix un peu bousillée, mais je m'en fiche. Pourquoi est-ce que tu ne viendrais pas avec moi ? On pourrait passer l'audition ensemble. Il paraît qu'elle n'est pas trop difficile.

– Oh, je ne sais pas », dit Jane. L'idée de chanter à nouveau dans une chorale l'excitait tout à coup. Ce son immense qui volait vers un public, comme un nuage d'oiseaux migrateurs, comme un million de ballons ! Mais l'audition la terrifiait. Et si on ne la prenait pas ? Comment pourrait-elle ouvrir à nouveau la bouche pour chanter, y compris quand elle serait seule chez elle ? Comment ne se sentirait-elle pas humiliée par sa propre voix lorsqu'elle écouterait la radio en route vers son boulot ? Ça ficherait tout en l'air. Les chansons lui colleraient à la gorge comme des papillons de nuit à un mur. Elle n'écouterait plus rien d'autre que les informations, et quand elle arriverait au travail, elle serait triste et inerte.

« Je suis mauvaise, je t'assure, dit Bridey.

– Non, c'est pas vrai. Chante-moi quelque chose. »

Bridey la regarda étonnée, prit une autre galette et mâcha un moment. « Qu'est-ce que tu veux que je chante ? Hmmm, c'est bon ça.

– Pas quelque chose de long. Je veux savoir ce que tu entends par mauvaise. Parce que *moi*, je suis mauvaise. Écoute. « *Row, row, row your boat, gently down the stream...*

– *Merrily, merrily, merrily, merrily* », continua Bridey plutôt platement. Jane se demanda si elle le faisait exprès. « *Life is but a dream.* » Bridey regarda Jane d'un air un peu malheureux. « Tu vois, je t'avais dit que j'étais mauvaise.

– Tu es bien meilleure que moi, dit Jane.

– Tu habites où maintenant ? » Bridey tira sur la veste rouge de son tailleur et jeta un regard autour d'elle.

« Sur Neptune Avenue. Presque à l'angle de Oaks. Et toi ?

– Dans les Appartements Brickmire. Il y a une piscine, c'est ce qui nous a convaincus de nous installer là. » Bridey montra à nouveau Heffie du doigt et chuchota : « Est-ce qu'elle grappille toujours ainsi ? » Bridey venait de se servir une énième galette de riz.

« Mieux vaut que je ne te dise pas à quel rythme.

– Tu as raison, ça vaut mieux », dit Bridey, et elle reposa la galette de riz sur le plateau de Jane.

Après le travail, Jane repartit en voiture à l'ouest de la ville pour récupérer son chat chez le toiletteur. Elle avait promis à Bridey qu'elle la retrouverait pour l'audition qui avait lieu à sept heures et demie à leur ancien lycée, mais cette perspective lui nouait l'estomac. Elle essaya de chanter – *Doe, a deer, a female deer* –, sa voix lui paraissait fragile et apeurée. À un feu rouge, le conducteur dans la voiture à côté vit ses lèvres bouger et hocha la tête dans sa direction.

Quand elle arriva chez le vétérinaire, le parking était plein. Dans la salle d'attente, les gens attendaient leur tour, indisciplinés, en face du comptoir circulaire de l'accueil. Deux employés se répartissaient le travail : un jeune homme à la caisse et la femme aux chaussures blanches au micro, qui répétait : « Spotsy Wechsler, Spotsy Wechsler. » La femme aux chaussures blanches posa le micro. « Elle arrive », dit-elle à un homme avec une veste en jean semblable à celle que le frère de Jane avait portée durant toute leur adolescence. « Qui est le suivant ? » La femme jeta un regard à tous ces propriétaires d'animaux éparpillés devant elle. « Je peux renseigner quelqu'un ? » Personne ne répondit.

« Moi, si vous voulez », finit par dire Jane, « mais ce monsieur était là avant. Et celui-ci aussi. » Un des hommes devant elle se tourna pour la regarder, le visage rouge, puis s'approcha du comptoir et parla très doucement à la femme aux chaussures blanches.

« Je m'appelle Miller », dit-il discrètement et d'un ton grave. Il portait un costume et sa cravate était en berne. « Je suis venu chercher le chat que mon épouse a amené pour une opération ce matin. »

La femme blêmit. « Oui, oui. » Elle ne demanda pas le nom du chat. « Gooby Miller, dit-elle dans le micro.

Gooby Miller dans la salle d'attente. » L'homme venait de sortir son portefeuille mais la femme lui dit : « C'est gratuit », et pianota sur son clavier pendant une longue minute. Un jeune lycéen sortit de la pièce de derrière, portant une caisse dans ses bras. « Le chat Miller ? » dit-il sur le pas de la porte, et l'homme au costume leva la main. Le garçon apporta la caisse et la déposa sur le comptoir.

« J'aimerais aussi parler au vétérinaire », dit l'homme. La femme aux chaussures blanches le regarda d'un air craintif, mais le garçon répondit : « Oui, il vous attend. Par ici, s'il vous plaît », et il conduisit l'homme vers la salle d'examen. Le voyant au-dessus de la porte clignota joyeusement pour les laisser entrer ; puis la porte claqua derrière eux comme un fait accompli. La caisse était restée sur le comptoir.

« Je peux vous aider ? demanda la femme à Jane.

– Oui, je suis venue chercher mon chat qui a été toiletté. Je m'appelle Konwicki. »

La femme tendit le bras vers le micro. « Et le nom du chat ?

– Fluffers.

– Fluffers Konwicki dans la salle d'attente. Fluffers Konwicki. » La femme reposa le micro. « On vous amène votre chat tout de suite.

– Merci », dit Jane. Elle regarda la caisse en carton près de son coude sur le comptoir et sur laquelle il y avait marqué ANANAS DOLE. Elle tendit l'oreille, attentive à un grattement ou à un mouvement quelconque, mais rien. « Qu'est-ce qu'il y a dans cette boîte ? » demanda-t-elle.

La femme fit une grimace faussement coupable, exagérée. Elle ne semblait pas savoir quel visage adopter. « Gooby Miller, répondit-elle. Un chat mort.

– Oh, mon Dieu », murmura Jane. Elle se souvint des enfants qu'elle avait rencontrés le matin même. « Que lui est-il arrivé ? »

La femme haussa les épaules. « Opération de la thyroïde. Il est mort pendant l'intervention. Monsieur, qu'est-ce que je peux faire pour vous ? » Voici qu'à présent on amenait Rex le caniche, qui boitillait et avait une patte dans un plâtre, à sa maîtresse. C'était comme dans un rêve : des choses que vous aviez vues auparavant, à la lumière du jour, vous revenaient en trottinant quelques heures plus tard sous une forme légèrement différente.

Après qu'on eut fait sortir Rex dans une petite carriole pour enfants, le toiletteur apparut avec dans ses bras Fluffers encore dans les vapes et sentant l'anti-puces mâtiné de lilas. « Votre chat a été adorable », dit le toiletteur ; Jane prit Fluffers et faillit murmurer : « Dieu merci, ils ne me l'ont pas rendu dans une caisse d'ananas. » Mais à la place elle dit : « Le revoilà tout beau.

– J'ai trouvé quelques puces, mais vraiment pas beaucoup. »

Jane paya rapidement et sortit. Le crépuscule tombait sur la route comme une humeur noire et les voitures avaient allumé leurs phares. Elle porta son chat jusqu'à la voiture et se débattait avec la portière côté passager, lorsqu'elle entendit, venant de l'autre bout du parking, « Fluffers ! Fluffers ! » C'étaient les cris excités d'un enfant. « Regarde, c'est Fluffers ! »

Le garçon et la fillette auxquels Jane avait parlé le matin même se précipitèrent hors du break où ils attendaient. Ils claquèrent les portières arrière et coururent, en haletant, vers Jane et son chat. Ils portaient des petits manteaux et des chapeaux avec des rabats pour les oreilles. L'air s'était rafraîchi.

« Oh, Fluffers, tu sens si bon – miam, miam, miam ! » dit la fillette ; elle pressa son visage contre le dos parfumé de Fluffers, et puis se mit à pleurer. Jane leva les yeux et vit que le peu de lumière qui restait dans le ciel paraissait étonnamment fragile, comme les jambes d'un cheval frêle qui doivent à tout prix le soutenir. Elle libéra une de ses mains et la posa sur la tête de la fillette. « Oh, Fluffers ! » Il s'ensuivit un autre sanglot étouffé ; la fillette refusa de lever la tête. Son frère se tenait de manière plus stoïque près d'elle. Son visage était rouge et bouffi, mais les larmes s'étaient asséchées derrière ses yeux. Il étudiait Jane comme s'il était en train de reconsidérer ses priorités dans la vie. « Vous vous appelez comment ? » lui demanda-t-il.

Ce n'était pas grand-chose, vraiment pas grand-chose, mais Jane décida en fin de compte de ne pas se risquer à l'audition avec Bridey. Elle appela cette dernière et s'excusa, dit qu'elle avait peut-être attrapé un virus, et Bridey répondit : « Heffie te l'aura refilé, vu la manie qu'elle a de tout goûter. Quoi qu'il en soit, j'espère que tu viendras manger à la maison cette semaine », et Jane dit que oui, elle viendrait.

Le jeudi suivant, elle dîna avec Bridey et son mari, un homme grand et gentil qui travaillait comme consultant pour une boîte d'informatique. Il portait une chemise avec des hippocampes, comme celle que son ex-petit copain, le fabricant de jouets, portait lorsqu'il était venu lui rendre visite dans l'Est pour un dernier week-end, en souvenir du bon vieux temps. Il avait revêtu cette belle chemise, aussi douce qu'un pyjama, quand ils étaient partis en voiture ce dimanche-là, plus loin que les foires au potiron, à la frontière de l'État, pour voir le Mississippi. Le fleuve avait déferlé en dessous d'eux, d'un vert argileux, un kaki très sombre. Elle avait touché la chemise, s'y était accrochée. Dans ce paysage lunaire de chênes nains et de pins gris, dans cet endroit qui jadis, au commencement du monde, avait été entièrement submergé par les eaux et qui aujourd'hui n'était plus balayé que par les vents, c'était une bonne chose d'avoir un fleuve qui traversait et cassait le panorama. Au loin, au-delà d'une vallée parsemée de bouleaux, il y avait des arbres plus grands encore, des cèdres et des épinettes – rouges ! – et Jane sentit qu'enfin ici elle savourait un moment qu'elle emporterait avec elle pour le restant de ses jours, *inégarable*. Rien ne paraissait plus vrai qu'un arbre flamboyant.

Après le dîner, elle accepta d'accompagner Bridey à une répétition de la chorale municipale, et elle fit des vocalises avec les autres chanteurs. Mais quand on fit passer les partitions, il n'y en avait pas assez pour tout le monde. Le chef de chœur fit l'appel, jeta un regard accusateur aux soprani et leur demanda : « Y a-t-il une personne ici qui ne serait pas inscrite ? » Jane leva la main et expliqua son cas.

« J'ai bien peur que cela ne soit pas autorisé. Si vous voulez faire partie de la chorale, vous devez passer l'audition.

– Je suis désolée », dit Jane. Elle se leva et rendit sa partition au chef de chœur. Elle ramassa son sac, regarda Bridey en haussant les épaules d'un air malheureux.

« Je t'appelle », articula silencieusement Bridey.

Mais Noël approchait quand Bridey appela, et Jane était très occupée au magasin. Il y avait beaucoup de nouvelles spécialités de fromages pour les Fêtes, et en plus de ça elle s'occupait des emballages cadeaux. À cette période, Heffie annonça qu'elle donnait sa démission et elle apporta pour son dernier jour une bouteille de champagne qu'elles burent au magasin dans des tasses en plastique, accroupies derrière le comptoir des fromages et tendant le cou de temps à autre pour s'assurer qu'il n'était entré aucun client.

« À nos petites vies, dit Heffie en portant un toast.

– Dans la Prairie », ajouta Jane. Le champagne pétilla contre son palais. Elle le réchauffa et le lava dans sa bouche jusqu'à ce qu'il perde ses bulles et coule le long de sa gorge, eau réchauffée et douce. Elles ouvrirent une boîte de harengs à la crème dont l'étiquette était déchirée. Elles trempèrent leurs doigts dans la sauce et mangèrent. Elles entonnèrent quelques chants de Noël qu'elles connaissaient toutes les deux mais qu'elles chantèrent mal.

« *Let every heart prepare him a room* », chanta Heffie, la bouche pleine de poisson. Le monde était merveilleux, mais il pouvait se montrer retors et pointilleux, comme un dieu qui ne sortirait pas beaucoup.

« Le surf, dit Heffie. Il faut quitter ces plaines hivernales et aller quelque part où il y a des vagues et un courant chaud. » À l'intérieur du comptoir à fromages, les lunes sèches des fromages et les pâtes à tartiner humides arboraient leurs étiquettes en plastique habituelles : BONJOUR, JE M'APPELLE. Jane tendit la main et sortit celui qui disait BONJOUR, JE M'APPELLE *Fromage suisse aux amandes*.

« Tiens, dit-elle à Heffie. C'est pour toi. » Heffie eut un rire graveleux, et prit l'étiquette qu'elle coinça dans une de ses barrettes, près de son front, là où ses cheveux se clairsemaient. Le crâne déplumé brilla de surprise, pâle et lisse.

Et, en plus, vous êtes moche

Il fallait bien quitter de temps à autre ces villes de l'Illinois aux drôles de noms : Paris, Oblong, Normal. Un jour, alors que l'indice de la Bourse avait chuté de deux cents points, le journal de Paris avait exhibé en gros titre : HOMME NORMAL ÉPOUSE FEMME OBLONGUE. Ils savaient ce qui était important dans la vie. Ça oui ! Mais il fallait partir de temps à autre, même si ce n'était que pour traverser la frontière de l'État et aller à Terre Haute, pour y voir un film.

Aux abords de Paris, il y avait plusieurs bâtiments en brique éparpillés au milieu d'un grand champ, ceux d'une petite fac de lettres et sciences humaines au nom invraisemblable de Hilldale-Versailles. Zoé Hendricks y était professeur d'histoire américaine depuis trois ans. Elle enseignait « La Révolution et l'après-Révolution » aux premières et deuxièmes années, et un trimestre sur trois elle dirigeait les séminaires de troisième année. Même si les évaluations données par les étudiants étaient en baisse depuis un peu plus d'un an – *Madame Hendricks arrive souvent en retard en cours, en général avec une tasse de chocolat chaud qu'elle tend à ses étudiants* – le département d'Histoire, composé de neuf hommes, était dans l'ensemble satisfait qu'elle soit des leurs. Elle ajoutait une touche féminine aux couloirs qui en avaient bien besoin – cette odeur imperceptible de parfum et de transpiration, le cliquetis léger et rapide des talons. Qui plus est, ils avaient eu un procès pour discrimination sexuelle et le doyen de l'université avait dit qu'il était temps d'aller de l'avant.

La situation n'était pas facile pour elle, ils le savaient. Une fois, au début du semestre dernier, elle avait sautillé en entrant dans son amphi et chanté *Getting to Know You* – les deux couplets. À la demande du doyen de l'université, le chef du département d'Histoire l'avait convoquée dans son bureau mais n'avait exigé aucune explication. Il lui avait demandé comment elle allait en souriant de manière avunculaire. Elle avait répondu « Bien », et il avait étudié la façon dont elle avait prononcé le mot, avec ses dents de devant qui accrochaient l'intérieur de sa lèvre inférieure. Elle était plutôt jolie, mais son visage portait les marques de l'effort et d'une ambition jamais tout à fait accomplie. Il y avait trop d'application dans l'eyeliner, et ses boucles d'oreilles, qu'elle portait certainement pour le côté théâtral que ses traits ne possédaient pas, étaient un peu effrayantes dans la façon dont elles jaillissaient de sa tête comme des antennes.

« Je suis en train de perdre la boule », dit Zoé à sa plus jeune sœur, Evan, qui habitait Manhattan. *Madame Hendricks semble connaître toutes les chansons du* Roi et Moi. *C'est ça, l'histoire ?* Zoé l'appelait tous les mardis.

« Tu dis toujours la même chose, répondit Evan. Et puis tu prends des vacances, tu te réhabitues à ta vie, silence total pendant quelque temps, ensuite tu dis que tu vas bien, que tu es occupée, avant d'affirmer à nouveau que tu perds la boule, et ça recommence. » Evan travaillait à mi-temps comme photographe culinaire. Elle cuisait des légumes dans une teinture verte, présentait un ragoût de bœuf sur un lit de billes, et elle était toujours à la recherche de nouvelles bombes de silicone et de glaçons en plastique. Elle trouvait sa vie « acceptable ». Elle vivait avec son petit ami de toujours, un garçon riche qui avait un boulot amusant dans l'édition. Cela faisait cinq ans qu'ils avaient fini leurs études et ils habitaient dans un gratte-ciel luxueux en plein cœur de Manhattan, avec balcon et accès à une piscine. « Ce n'est pas la même chose que d'avoir la sienne », disait Evan en soupirant, comme pour informer sa sœur que, tout comme elle, il y avait encore des choses dont elle devait se passer.

« L'Illinois. Ça me rend sarcastique de vivre ici », disait Zoé au téléphone. Par le passé, elle attirait toujours l'attention de son interlocuteur quand elle faisait de l'ironie, ce procédé sophistiqué à multiples paliers inconnu dans le Midwest, que ses étudiants persistaient d'ailleurs à appeler des sarcasmes, chose qui rentrait plus dans leur champ de compétence. Et voilà qu'à présent il lui fallait bien leur donner raison. Ce n'était pas de l'ironie. *C'est quoi votre parfum ?* lui avait une fois demandé un étudiant. Air Wick, lui avait-elle répondu. Elle avait souri mais il l'avait regardée d'un air déconcerté.

Dans l'ensemble, ses étudiants étaient très représentatifs de leur région, planant à cause des œstrogènes contenus dans la viande et le fromage qu'ils ingurgitaient en grandes quantités. Ils partageaient les valeurs bourgeoises de leurs parents ; ces derniers les avaient pourris gâtés. Ils étaient suffisants. On les avait achetés.

Ils étaient armés d'une saine imprécision concernant tout ce qui était historique ou géographique. En fait, ils semblaient ne pas connaître grand-chose, mais ils prenaient ça avec beaucoup de bonhomie. « Tous ces États à l'Est sont minuscules et drôlement découpés », se plaignit l'un de ses étudiants le jour où elle fit un cours intitulé *Le tournant de l'indépendance : la bataille de Saratoga*. « Professeur Hendricks, vous venez bien du Delaware ? lui demanda l'étudiant.

– Du Maryland, corrigea Zoé.

– Bah, dit-il avec un geste de la main en signe de rejet. C'est toujours la Nouvelle-Angleterre. »

Ses articles – des chapitres en vue d'un livre qui avait pour titre *C'est l'histoire d'un... : de l'utilisation de l'humour dans la présidence américaine* – étaient en général bien accueillis, encore que son inspiration soit par à-coups. Elle aimait que ses articles possèdent un peu de chaque moment de la journée – elle ne faisait pas confiance aux travaux rédigés seulement le matin – et donc elle relisait et récrivait avec application. Pas une seule heure, ni son humeur ni sa lumière, n'était autorisée à prendre le dessus. Il lui était arrivé de s'acharner sur un article toute une année, jusqu'à ce qu'une journée entière y soit contenue.

Avant Hilldale-Versailles, elle avait enseigné dans une petite université à New Geneva dans le Minnesota, pays du centre commercial moribond. Tout le monde là-bas était tellement blond que l'on prenait souvent les brunes pour des étrangères. *Ce n'est pas parce que le professeur Hendricks vient d'Espagne que ça lui donne le droit d'avoir un jugement aussi négatif sur notre région*. Les habitants mettaient l'accent sur la bonne humeur. À New Geneva, on n'était pas supposé être critique ni se plaindre. On n'était pas supposé remarquer que la ville avait poussé de manière anarchique, que ses centres commerciaux étaient décrépis. Il ne fallait jamais répondre que vous n'alliez pas bien, merci et vous. Tous s'attendaient à ce que vous soyiez Heidi, à ce que vous portiez des bidons de lait de chèvre en haut des montagnes sans y réfléchir à deux fois. Heidi ne se plaignait jamais. Heidi ne faisait pas certaines choses, comme rester plantée devant la nouvelle photocopieuse IBM et déclarer : « Si ce foutu appareil me résiste encore une fois, je me taille les veines ».

Mais à présent, dans sa quatrième année d'enseignement dans le Midwest, Zoé découvrait quelque chose qu'elle n'avait jamais imaginé posséder : un pourtour dur, cassant, et pointu. Il lui était arrivé jadis de pouponner ses étudiants, de leur chanter des chansons, de les autoriser à l'appeler chez elle et à lui poser des questions personnelles ; mais maintenant elle avait perdu sa compassion. Ils lui apparaissaient sous un jour différent. Elle découvrait qu'ils étaient exigeants et gâtés.

« Vous vous conduisez, lui lança lors d'une conférence une étudiante de troisième année, comme si votre avis valait plus que celui de quiconque dans la classe. »

Zoé ouvrit de grands yeux. « C'est *moi* le prof, répondit-elle. C'est *moi* qu'on paye pour agir ainsi. » Elle observa l'étudiante qui avait un gros nœud en cuir dans les cheveux, comme une cow-girl de western télévisé. « Sinon, chaque élève aurait un petit bureau et des heures de réception. » *Parfois le professeur Hendricks nous parle des films qu'elle a vus.* Elle regarda son étudiante un peu plus attentivement, puis elle ajouta : « Je parie que ça vous plairait.

– Je ne veux pas vous donner l'impression de me plaindre sans arrêt, dit la fille, mais j'aimerais simplement que mes études d'histoire aient un sens.

– Ça, c'est *votre* problème », répondit Zoé, et elle lui montra la porte avec un sourire. « J'aime bien votre nœud », ajouta-t-elle.

Zoé vivait pour le courrier, pour le facteur, ce beau geai bleu, et quand elle recevait une vraie lettre, avec un vrai timbre plein tarif et en provenance d'une autre ville, elle s'installait dans son lit et la relisait plusieurs fois. Elle regardait aussi la télévision jusque très tard, si tard qu'elle avait installé le poste dans sa chambre, ce qui était mauvais signe. *Le professeur Hendricks a critiqué Fawn Hall, la religion catholique et l'Illinois. C'est incroyable*. À Noël, elle donnait vingt-cinq dollars au facteur et à Jerry, le seul taxi de la ville, qu'elle avait été amenée à mieux connaître lorsqu'il la conduisait à l'aéroport de Terre Haute et qui, s'étant rendu compte que de telles courses étaient pour elle une folie, les lui faisait payer moins cher.

« Je prends l'avion ce week-end pour venir te rendre visite, annonça Zoé.

– C'est bien ce que j'espérais, répondit Evan. Charlie et moi nous organisons une soirée pour Halloween. Ça sera sympa.

– J'ai déjà mon déguisement. C'est un os à moelle géant.

– Super.

– Mais oui, c'est super.

– Tout ce que j'ai, c'est le masque lunaire que je portais déjà l'année dernière et celle d'avant. Je le porterai probablement à mon mariage.

– Charlie et toi vous allez vous *marier* ? » Sa voix était pleine d'appréhension.

« Hmmmmmmmmmmmmnon, pas tout de suite.

– Ne te marie pas.

– Pourquoi pas ?

– Tu es trop jeune.

– Tu dis ça parce que tu as cinq ans de plus que moi et que *tu* n'es pas mariée.

– Je ne suis *pas* mariée ? Oh mon Dieu, j'ai oublié de me marier. »

Zoé était sortie avec trois hommes depuis son arrivée à Hilldale-Versailles. L'un d'entre eux était un fonctionnaire de la mairie de Paris qui lui avait fait sauter une contravention qu'elle avait apportée dans ce but, et qui l'avait ensuite invitée à prendre un café. Au début elle l'avait trouvé fabuleux – enfin quelqu'un qui ne voulait pas une Heidi ! Mais elle s'était vite rendu compte que tous les hommes rêvent d'une Heidi. Une Heidi avec un décolleté. Une Heidi bien habillée. Il sembla bientôt las et ils se virent de moins en moins. Par une fraîche journée d'automne, dans sa décapotable, élégante mais inconfortable, elle lui demanda ce qui n'allait pas, et il répondit : « Ça ne te ferait pas de mal de t'acheter de nouveaux vêtements, tu sais. » Elle portait beaucoup de velours gris-vert. Elle aimait penser que cela mettait en valeur ses yeux, ces timides étoiles. D'une chiquenaude, elle enleva une fourmi qui était sur sa manche.

« Il fallait vraiment que tu la fasses tomber dans la voiture ? » Il baissa son regard vers ses pectoraux, évaluant rapidement le droit, puis le gauche. Il portait une chemise moulante.

« Pardon ? »

Il ralentit à un feu orange et fronça les sourcils. « Tu n'aurais pas pu la jeter dehors ?

– La fourmi ? Elle aurait pu me piquer. Et puis, qu'est-ce que ça peut faire ?

– Elle aurait pu te piquer ! N'importe quoi ! Maintenant elle va pondre des œufs dans ma voiture ! »

Le deuxième type était plus gentil, moins intelligent aussi, même s'il se montrait sensible à certains tableaux et à certaines chansons, mais trop souvent, il agissait de manière absurde. Une fois, au restaurant, il chipa la garniture de son assiette et attendit qu'elle s'en aperçût. Et comme elle ne s'apercevait de rien, il finit par lui présenter son poing fermé et lui dit : « Regarde. » Quand il l'ouvrit, elle vit son brin de persil et son quartier d'orange réduits en boulette. Une autre fois, il lui décrivit sa récente excursion au Louvre : « Et me voilà devant *Le Radeau de la Méduse* de Géricault. J'étais seul, j'avais donc droit à une audience privée. Tous ces corps peints en détresse, tordus dans tous les sens, et puis le mouvement qui commence en bas à gauche, qui tournoie et qui monte, monte, monte jusqu'au coin en haut à droite, là où il y a ce type agitant un drapeau, et sur la ligne d'horizon, dans le lointain, on voit ce tout petit bateau… » Son récit lui coupait le souffle. Elle trouvait la scène touchante et lui sourit pour l'encourager. « Un tableau comme ça, dit-il en secouant la tête, ça vous donne la chiasse. »

« Il faut que je te demande quelque chose, dit Evan. Je sais que toutes les femmes se plaignent de ne pas rencontrer d'hommes, mais franchement, lors de mes shootings, j'en rencontre beaucoup. Et ils ne sont pas tous gays. » Elle s'arrêta. « Plus maintenant.

– C'est quoi ta question ? »

Le troisième homme était un prof de sciences politiques qui s'appelait Murray Peterson et aimait sortir en couple avec des collègues dont il lorgnait les femmes. Les épouses consentaient généralement à flirter avec lui. Sous la table, parfois, on se faisait du pied, et une fois même on se fit du genou. Ce soir-là on laissa donc Zoé et le mari face à leur assiette et leur verre d'eau, à mâchonner comme des chèvres. « Oh, Murray », dit une épouse très élégante qui n'avait jamais fini sa maîtrise en kinésithérapie. « Tu sais, je sais tout sur toi : ton anniversaire, le numéro de ta plaque d'immatriculation. J'ai tout appris par cœur. Mais bon, c'est mon cerveau qui veut ça. Une fois, lors d'un dîner, j'ai surpris notre hôte quand, au moment de partir, j'ai dit au revoir aux autres invités en les appelant par leurs prénoms. Je me souvenais de leurs noms aussi.

– J'ai connu un chien qui savait faire ça », dit Zoé la bouche pleine. Murray et l'épouse la regardèrent avec des expressions vexées et emplies de reproches, mais le mari, sorti de sa torpeur, parut tout à coup amusé. Zoé déglutit. « Dans un laboratoire parlant. Au bout d'environ dix minutes de conversation à table, ce chien connaissait le nom de tout le monde. On pouvait lui dire : "Apporte ce couteau à Murray Peterson", et il s'exécutait.

– Vraiment ? » demanda la femme en fronçant les sourcils.

Murray Peterson ne la rappela jamais.

« Tu sors avec quelqu'un en ce moment ? s'enquit Evan. Ce n'est pas une question en l'air, je ne fais pas comme maman.

– Je sors avec ma maison. Je m'en occupe quand elle est mouillée, quand elle pleure, quand elle vomit. »

Zoé avait acheté une ferme vert menthe près du campus, et maintenant il lui arrivait de regretter son choix. C'était dur de vivre dans une maison. Elle n'arrêtait pas d'errer de pièce en pièce, se demandant où elle avait posé les choses. Elle descendait souvent à la cave parce que ça l'amusait de posséder une cave. Ça l'amusait aussi de posséder un arbre. Le jour où elle avait emménagé, elle y avait accroché un petit papier sur lequel elle avait écrit : *L'arbre de Zoé.*

Ses parents, dans le Maryland, étaient très contents qu'au moins un de leurs enfants soit propriétaire, et quand le contrat de vente fut signé, ils lui envoyèrent des fleurs et une carte de félicitations. Sa mère lui avait même fait parvenir par UPS des vieux magazines de décoration gardés au fil des ans, des photos de pièces magnifiques sur lesquelles elle avait dû se contenter de rêver, puisqu'ils n'avaient jamais eu assez d'argent pour redécorer leur maison. Ouvrir ce colis, c'était comme tomber sur les revues pornographiques de sa mère, hériter de ses fantasmes : désirs sans cesse titillés mais jamais assouvis, l'histoire de sa vie. Pour sa mère, il s'agissait d'un rite de passage. « Peut-être que tu y trouveras des idées », lui avait-elle écrit. Et quand Zoé regardait les photos de ces salons superbes à la décoration audacieuse, elle se sentait effectivement remplie de désir. Des idées et des idées de fantasme.

Pour l'instant, la maison de Zoé était plutôt vide. Le précédent propriétaire avait tapissé sans déplacer les meubles, ce qui avait laissé des silhouettes étranges sur les murs, et Zoé n'avait pas encore fait grand-chose pour y remédier. Elle avait acheté des meubles mais les avait rapportés au magasin, meublant puis vidant, préparant puis se débarrassant, comme pour un utérus. Elle avait acheté plusieurs coffres en pin à utiliser comme banquettes ou coffres à chaussures, mais ils finirent par lui évoquer des cercueils pour enfants, et il lui fallut les rapporter, eux aussi. Elle avait récemment acheté un tapis chinois pour le salon, avec des idéogrammes qu'elle ne comprenait pas. La vendeuse lui avait assuré qu'ils signifiaient *Paix et Vie éternelle*, mais quand Zoé eut ramené le tapis chez elle, elle s'inquiéta. Et s'ils ne signifiaient pas *Paix et Vie éternelle* mais *Bruce Springsteen*. Plus elle y pensait et plus elle était convaincue qu'elle avait acheté un tapis où il était écrit *Bruce Springsteen*. Elle le ramena lui aussi.

Elle avait également fait l'acquisition d'un petit miroir baroque pour l'entrée principale qui, d'après Murray Peterson, protégerait la maison des mauvais esprits. Mais c'était elle que le miroir effrayait, lui renvoyant l'image d'une femme qu'elle ne reconnaissait pas. Parfois elle paraissait plus bouffie et quelconque que dans ses souvenirs. D'autres fois, plus sournoise et sinistre. La plupart du temps elle semblait tout simplement floue. *Vous ressemblez à quelqu'un que je connais*, lui avaient dit à deux reprises l'année dernière des étrangers dans des restaurants de Terre Haute. En fait, c'était comme si elle n'avait pas d'apparence propre et elle était surprise que ses collègues et ses étudiants la reconnaissent. Comment y arrivaient-ils ? Quand elle entrait dans une pièce, comment savaient-ils que c'était *elle* ? Ressemblait-elle vraiment à cela ? Elle rendit donc le miroir.

« Si je te le demande, c'est parce que je connais un homme qui devrait te plaire, dit Evan. Il est amusant, hétéro et célibataire. Je n'en dirai pas plus.

– Je crois que je suis trop vieille pour m'amuser », dit Zoé. Elle avait un poil noir et rêche sous le menton, et elle le sentait à présent avec son doigt. Peut-être que quand on était sortie trop longtemps avec une personne du sexe opposé, on finissait par lui ressembler. Dans un acte d'invention désespéré, on finissait par faire pousser ses propres poils. « J'ai juste envie de me déguiser, de papoter avec le poisson tropical de Charlie, et que tu me parles de tes photos culinaires. »

Elle visualisa la pile de copies sur « La constitution américaine et ses influences » qu'il allait lui falloir corriger. Elle pensa qu'elle devait aller passer une échographie vendredi, parce que, d'après son médecin et son assistant, il y avait une grosse tumeur mystérieuse dans son abdomen. La vessie, lui avaient-ils dit. Ou les ovaires, ou le côlon. « Et vous êtes diplômés en médecine ? » avait demandé Zoé une fois qu'ils eurent quitté la pièce. Il y a longtemps, quand elle était gamine, elle avait emmené son chien chez le vétérinaire qui lui avait dit, « Eh bien, soit votre chien a des vers, soit il a un cancer, soit il a été renversé par une voiture. »

Elle attendait son voyage à New York avec impatience.

« On verra le moment venu. Je suis impatiente de te voir, mon chou. N'oublie pas ton os à moelle.

– Un os à moelle, ça ne s'oublie pas.

– J'imagine. »

Zoé n'avait parlé de son échographie à personne, pas même à Evan. « J'ai l'impression que je vais bientôt mourir, avait-elle dit juste une fois au téléphone.

– Mais non, avait répondu Evan. Tu es juste contrariée.

– Des ultrasons », dit Zoé en rigolant au technicien qui avait enduit son ventre de gel. « Est-ce que le son est celui d'une superchaîne hi-fi, ou quoi ? »

Personne ne s'était jamais autant occupé de son ventre depuis son petit ami en troisième cycle qui s'empressait autour d'elle chaque fois qu'elle était malade ; il battait des bras, pressait ses mains sur son nombril, et s'époumonait comme un fanatique : « Guéris ! Guéris pour l'amour de ton Enfant Jésus ! » Zoé riait et ils faisaient l'amour, espérant tous les deux en secret qu'elle tomberait enceinte. Plus tard ils se faisaient du souci ensemble, et il posait sa tête contre son ventre en lui demandant si elle avait du retard, avait-elle du retard, est-ce qu'elle en était sûre, peut-être qu'elle avait du retard. Quand au bout de deux ans, elle n'était toujours pas tombée enceinte, ils eurent une grosse dispute et décidèrent de se séparer.

« O.K. », dit le technicien, l'air absent.

Le moniteur était en place et les entrailles de Zoé apparurent sur l'écran, galeries grises et sinueuses. Elles étaient marbrées dans les teintes de noir et de blanc les plus subtiles, comme la pierre dans une vieille église, ou bien une photographie de la Lune. « Est-ce que vous pensez, babilla-t-elle à l'intention du technicien, que l'augmentation du taux de stérilité chez les Américains est due au fait que des espèces complètement différentes essayent de se reproduire entre elles ? » Le technicien fit bouger le scanner et prit d'autres clichés. Alors qu'il prenait un cliché du côté droit de Zoé, il se tint tout à coup sur le qui-vive, et la machine qu'il manipulait se mit à cliqueter.

Zoé regarda l'écran fixement. « Ça doit être la tumeur que vous venez de trouver, là, suggéra Zoé.

– Je ne peux rien vous dire, répondit le technicien d'un ton sec. Votre médecin recevra le rapport du radiologue cet après-midi et il vous téléphonera ensuite.

– Je ne serai pas là.

– C'est regrettable. »

En voiture sur le chemin du retour, Zoé regarda dans le rétro et décida qu'elle avait l'air – voyons, comment dire ? – un peu blafard. Elle pensa à la blague où un type rend visite à son médecin et le médecin lui dit : « Eh bien, je suis désolé de devoir vous informer qu'il vous reste six semaines à vivre.

– Je veux un deuxième avis », dit le type. *Vous vous conduisez comme si votre avis valait plus que celui de quiconque dans la classe.*

« Vous voulez un deuxième avis ? O.K., dit le docteur. Et en plus vous êtes moche. » Elle aimait bien cette blague, elle la trouvait très drôle.

Elle prit un taxi pour l'aéroport et Jerry fut heureux de la voir.

« Amusez-vous bien à New York », lui dit-il en sortant son sac du coffre. Il l'appréciait, ou du moins il agissait comme si c'était le cas. Elle l'appelait « Jare ».

« Merci, Jare.

– Je vais vous confier un secret : je n'ai jamais été à New York. Je vais vous en confier un deuxième : je n'ai jamais pris l'avion. » Et il agita tristement la main dans sa direction tandis qu'elle poussait la porte du terminal. « Ni l'escalator ! » cria-t-il.

Zoé disait toujours que le truc pour voyager en toute sécurité c'était de ne jamais acheter de billet à prix réduit et de se répéter que votre vie était trop médiocre pour valoir le coup d'être vécue, comme ça, si l'avion s'écrasait, ce ne serait pas un drame. Si l'avion ne s'était pas écrasé, puisque vous aviez réussi à le maintenir en l'air grâce à votre propre insignifiance, il vous restait à en sortir en titubant, à trouver vos bagages, ainsi qu'une bonne raison de continuer à vivre quand le taxi arriverait.

« Tu es là ! » hurla Evan dès qu'elle entendit retentir la sonnette. Puis elle ouvrit la porte en grand. Zoé posa sa valise dans le couloir et serra Evan dans ses bras. Quand elle était petite, Evan avait toujours été affectueuse et dévouée. Zoé s'était occupée d'elle, la conseillant, la rassurant jusqu'à ces derniers temps, où il semblait que c'était Evan qui la conseillait et la rassurait *elle*. Zoé en était tout étonnée. Elle supposait que c'était parce qu'elle était célibataire. Ça mettait les gens mal à l'aise. « Comment vas-tu ?

– J'ai vomi dans l'avion. Sinon, tout va bien.

– Je peux t'aider ? Tiens, laisse-moi prendre ta valise. Vomir dans l'avion. Beurk.

– Oui, mais dans un de leurs sacs vomitoires », dit Zoé, au cas où Evan aurait pensé qu'elle s'était laissée aller dans l'allée centrale. « J'ai été très discrète. »

L'appartement était grand et lumineux, avec une vue panoramique sur l'est de Manhattan. Des portes vitrées coulissantes donnaient sur un balcon. « J'oublie toujours à quel point cet appartement est agréable. Vingtième étage, portier… » Même si Zoé travaillait toute sa vie, elle ne pourrait jamais s'offrir un tel appartement. Idem pour Evan. C'était celui de Charlie. Lui et Evan y habitaient comme deux étudiants en cité universitaire, canettes de bière et vêtements en boule envahissant l'espace. Evan posa la valise de Zoé loin du désordre, près de l'aquarium. « Je suis tellement contente que tu sois venue. Qu'est-ce que je peux t'offrir ? »

Evan prépara un en-cas, de la soupe en boîte avec des biscuits salés.

« Je ne sais pas ce qui se passe avec Charlie, dit-elle quand elles eurent fini de manger. J'ai l'impression que nous sommes devenus asexués et quadragénaires avant l'âge.

– Hmmm », dit Zoé. Elle se cala dans le canapé et regarda fixement par la baie vitrée les toits sombres des bâtiments. Ça lui paraissait un peu contre nature d'habiter si haut dans le ciel, comme des oiseaux qui, à cause d'une bravoure perverse, se seraient nichés trop haut. Elle hocha la tête en direction de l'aquarium éclairé et gloussa. « Je me sens comme un oiseau, dit-elle, avec mes provisions de poisson. »

Evan soupira. « Il rentre à la maison, et tout ce qu'il fait c'est s'avachir sur le canapé pour regarder du football sous la neige. L'équivalent psychologique du masque et des bigoudis, si tu vois ce que je veux dire. »

Zoé se redressa, réarrangea les coussins du canapé. « C'est quoi, le football sous la neige ?

– On n'a pas encore le câble. Tous les programmes qu'on reçoit sont floconneux. Ce qui n'empêche pas Charlie de regarder la télé.

– Hmmm, mouais, c'est un peu déprimant », dit Zoé. Elle regarda ses mains. « Surtout le fait de ne pas avoir le câble.

– Voilà comment il se prépare pour se coucher le soir. » Evan se leva pour faire sa démonstration. « Il se déshabille rapidement, et quand il arrive à son caleçon, il le laisse tomber sur une cheville. Ensuite il lance sa jambe et le fait tournoyer en l'air, et puis il le rattrape. Je regarde la scène du lit. Et après plus rien.

– Peut-être que tu devrais en finir et te marier.

– Tu crois ?

– Ouais. Je veux dire, vous pensez certainement qu'en vivant ainsi, vous pouvez jouer sur tous les tableaux, mais... » Zoé essaya de parler comme une sœur aînée ; une sœur aînée était supposée être la mère que vous n'aurez jamais, une mère à la page et sympa. « ... Mais je me suis rendu compte que quand on veut jouer sur tous les tableaux... » – elle pensait à elle-même à présent, seule dans sa maison ; aux cigales à face de crapauds qui volaient le soir comme des petits hommes vêtus de capes et atterrissaient sur ses moustiquaires d'où elles l'observaient fixement ; aux chaussures pointure quarante-quatre qu'elle plaçait devant la porte d'entrée pour effrayer les rôdeurs ; à la poupée gonflable ridicule que quelqu'un lui avait conseillé d'asseoir à côté d'elle au petit déjeuner – « ... la vapeur risque de se renverser et tout peut basculer.

– Tu crois ? » Evan rayonnait. « Oh, Zoé ! J'ai quelque chose à t'annoncer. Charlie et moi, on va effectivement se marier.

– Ah oui ? » Zoé ne savait plus quoi penser.

« Je ne savais pas comment te le dire.

– Ouais, eh bien je pense que l'anecdote du football enneigé m'a un peu perturbée.

– J'aimerais que tu sois ma demoiselle d'honneur, dit Evan sur la brèche. Est-ce que tu n'es pas heureuse pour moi ?

– Bien sûr », dit Zoé, et elle entreprit de raconter à sa sœur l'histoire d'une violoniste de Hilldale-Versailles, primée à de nombreuses reprises. Après être revenue d'un concours en Europe, cette violoniste et s'était mise à sortir avec un type du coin qui la traînait à tous ses matchs de base-ball, lui demandant de l'encourager des tribunes, avec les épouses des joueurs, jusqu'à ce qu'elle finisse par se suicider. Mais quand elle arriva à la moitié de l'histoire et aux encouragements lors des matchs de base-ball, Zoé s'arrêta.

« Et alors ? dit Evan. Qu'est-ce qui s'est passé ?

– En fait, rien, répondit Zoé d'un ton léger. Elle était devenue accro au base-ball, tout simplement. Tu aurais dû la voir. »

Zoé décida d'aller au cinéma en fin d'après-midi, laissant Evan aux tâches domestiques qu'elle devait accomplir avant la soirée. – Tu ne peux pas m'aider, lui avait-elle dit, un peu tendue après l'histoire de la violoniste. Zoé serait bien allée au musée, mais les femmes qui allaient seules au musée se devaient de bien présenter. C'était toujours le cas. Élégantes et sérieuses, se déplaçant langoureusement, avec un sac à main classe. Au lieu de ça, elle arpenta un centre commercial, passa devant un magasin de boucles d'oreilles qui s'appelait « Collez-vous-la dans l'oreille », et un salon de beauté « Chez Dorian Gray ». C'était ce qui était amusant avec la *beauté*, pensa Zoé. Cherchez la rubrique beauté dans les pages jaunes et vous tomberez sur des centaines de références, hostiles dans leurs traits d'esprit, touchantes dans leurs mises en garde. Mais si vous y cherchez la *vérité* – alors là ! Le dé-sert.

Zoé pensa à Evan qui était sur le point de se marier. Est-ce qu'Evan allait devenir comme la femme de Peter Pumkin Eater dans la comptine ? Est-ce que pour le mariage elle obligerait Zoé à porter une robe mauve à volants comme celle des autres demoiselles d'honneur ? Zoé avait toujours détesté les uniformes, et au cours préparatoire elle avait même refusé de participer au spectacle de fin d'année parce qu'elle ne voulait pas porter la même robe que les autres. Et voilà que maintenant elle y serait peut-être obligée. Mais peut-être aussi qu'elle pourrait personnaliser sa tenue. Relever le jupon sur un côté avec une épingle à nourrice. Mettre de la gaze à la taille. Accrocher à son corsage un de ces badges qui proclament en lettres sonores, LES EMMERDES, ÇA ARRIVE À TOUT LE MONDE.

Au cinéma – où elle alla voir *Sept Morts sur ordonnance* – elle acheta ces rubans de réglisse rouge qu'on peut étirer avant de mâcher. Elle s'assit au bout d'une rangée. Elle éprouvait de la gêne à être seule et elle espérait que les lumières s'éteindraient vite. Quand la salle fut plongée dans l'obscurité et que l'écran s'illumina, elle fouilla dans son sac à la recherche de ses lunettes. Elles étaient dans un sac Ziploc. Ses mouchoirs aussi étaient dans un sac Ziploc. Ainsi que son stylo, son tube d'aspirine et ses pastilles. Un sac Ziploc pour chaque chose. Voilà ce qu'elle était devenue : *une femme seule au cinéma avec chacun de ses effets dans un sachet plastique*.

À la soirée de Halloween, il y avait une vingtaine de personnes environ. Des gens avec des têtes de gorille et de grosses mains poilues. Quelqu'un déguisé en lutin. Un autre en plat surgelé. Un homme qui avait amené ses deux petites filles : une ballerine et sa sœur, déguisée elle aussi en ballerine. Un escadron de sorcières sexy – des femmes habillées en noir, superbement maquillées et couvertes de bijoux. « Je hais ces sorcières sexy. Ce n'est pas l'esprit de Halloween », dit Evan qui avait abandonné le masque lunaire et s'était attifée en *Hausfrau*, avec bigoudis et tablier, une décision qu'à présent elle semblait regretter. Charlie, puisqu'il aimait les poissons et les collectionnait, eh bien Charlie avait décidé de se déguiser en poisson. Il avait des nageoires et des yeux sur les côtés de la tête. « Zoé ! Comment vas-tu ! Désolé d'avoir raté ton arrivée ! » Il passa le reste de la soirée à draguer les sorcières sexy.

« Tu es sûre que je ne peux pas t'aider ? demanda Zoé à Evan. Tu n'arrêtes pas de courir partout. » Elle frotta le bras de sa sœur, doucement, comme si elle avait souhaité qu'elles soient seules toutes les deux.

« Mais non, pas du tout », répondit Evan qui arrangeait les champignons farcis sur une assiette. Le minuteur sonna et elle sortit une autre plaque du four. « En fait, tu sais ce que tu pourrais faire ?

– Quoi ? » Zoé enfila son os à moelle.

« Parler à Earl. C'est le type que je veux te présenter. Quand il arrivera, parle-lui un peu. Il est gentil. Il a de l'humour. Il est en instance de divorce.

– J'essayerai. Zoé grogna. O.K. J'essayerai. » Elle regarda sa montre.

Quand Earl arriva, il était déguisé en femme nue. Un tampon Jex était collé à l'endroit stratégique sur son body, et il portait de grands seins en plastique semblables à des jambons.

« Zoé, je te présente Earl, dit Evan.

– Enchanté », dit Earl, contournant Evan pour serrer la main de Zoé. Il regarda fixement le dessus de la tête de Zoé. « Super, l'os. »

Zoé hocha la tête. « Super, les nénés. » Elle regarda derrière lui, par la baie vitrée, vers la ville déployée, scintillant dans la nuit. Les gens disaient les choses d'usage : le paysage urbain leur évoquait des bijoux, des bracelets et des colliers défaits. On pouvait voir

Grand Central, l'horloge du bâtiment Con Edison, l'Empire State comme enflammé, le Chrysler Building, une fusée inventée dans un moment de dépression. Au loin à l'ouest, on apercevait l'Astor Plaza, avec son toit blanc volant rappelant la coiffe d'une nonne.

« Il y a de la bière sur le balcon, Earl. Tu en veux une ? demanda Zoé.

– Bien sûr, euh, j'arrive. Hé, Charlie, comment ça va ? »

Charlie grimaça et siffla. Les gens se retournèrent pour regarder. « Hé, Earl », quelqu'un l'appelait, à l'autre bout de la pièce. « T'es belle. »

Ils eurent du mal à se frayer un chemin parmi les invités, les gorilles et autres sorcières sexy. La porte vitrée coulissa dans un bruit de succion caoutchoutée, et Zoé et Earl sortirent sur le balcon, os à moelle et femme nue, l'air de la nuit grondant dans la fraîcheur enfumée. Il y avait un autre couple dehors qui se murmurait des secrets. Ils n'étaient pas déguisés. Ils sourirent à Zoé et Earl. « Salut », lança Zoé. Elle trouva la glacière, y plongea le bras, et en sortit deux bières.

« Merci », dit Earl. Ses seins en plastique se replièrent vers l'intérieur, tout bosselés, quand il décapsula sa canette.

« Eh bien », soupira Zoé nerveusement. Il lui fallait apprendre à ne pas avoir peur d'un homme de la même manière que, enfant, on apprenait à ne pas avoir peur d'un ver de terre ou de tout autre insecte. Souvent, quand elle parlait à des hommes rencontrés à des soirées, elle précipitait les choses dans sa tête. Tandis que le type bavardait poliment, elle tombait amoureuse, l'épousait, puis se retrouvait dans une lutte âpre pour la garde des enfants tout en espérant qu'ils se réconcilient, de façon à ce que, malgré ses infidélités, elle en vienne peut-être à ne plus le mépriser et, dans le peu de temps qu'il leur restait, à apprendre son nom de famille et la nature de son boulot, encore qu'il se soit probablement déjà passé trop de choses entre eux. Elle hochait alors la tête, rougissait, et tournait les talons.

« Evan m'a dit que tu étais prof. Tu enseignes où ?

– Tout près de l'Indiana, dans l'Illinois. »

Il la regarda, un tantinet choqué. « Je ne crois pas qu'Evan m'ait dit ça.

– Ah bon ?

– Non.

– C'est du Evan tout craché. Quand on était petites on avait toutes les deux un défaut d'élocution.

– Ça a dû être dur à vivre », dit Earl. Un de ses seins était caché par le bras qui tenait la bière, mais l'autre brillait, rose et aussi rond qu'une lune pleine.

« Oui, bon, on n'a pas complètement perdu notre temps. On allait en *riréducation*, comme on disait. Pendant à peu près dix ans de ma vie, j'ai dû construire chaque phrase entièrement dans ma tête avant de la prononcer. C'était le seul moyen de sortir un truc cohérent. »

Earl but une gorgée de bière. « Comment tu faisais ? Je veux dire, comment tu as fait pour t'en sortir ?

– Je racontais beaucoup de blagues. On connaît déjà le texte – il suffit de le répéter. J'adore les blagues. Et les chansons. »

Earl sourit. Il avait mis du rouge à lèvres, un rouge foncé, mais il n'en restait plus grand-chose à cause de la bière. « C'est quoi ta blague préférée ?

– Hmm, ma blague préférée ?... D'accord. C'est l'histoire d'un type qui va chez le médecin et...

– Je crois que je la connais », l'interrompit Earl. Il voulait la raconter lui-même. « Un type va chez le médecin et le médecin lui dit qu'il a une bonne et une mauvaise nouvelle – c'est celle-là, non ?

– Je ne sais pas. Il s'agit peut-être d'une autre version.

– Le type dit, Donnez-moi d'abord la mauvaise nouvelle, et le médecin répond, Il vous reste trois semaines à vivre. Le type se met à pleurer, Trois semaines à vivre ! Docteur, c'est quoi la bonne nouvelle ? Et le médecin répond, Vous avez vu la secrétaire à l'entrée ? J'ai fini par me la faire. »

Zoé fronça les sourcils.

« Ce n'est pas à celle-là que tu pensais ?

– Non. » Le ton était accusateur. « La mienne est différente.

– Oh », dit Earl. Il détourna son regard puis le ramena sur elle. « Tu enseignes l'histoire, c'est ça ? Quel domaine ?

– J'enseigne principalement l'histoire des États-Unis – dix-huitième et dix-neuvième siècles. » En troisième cycle, dans les bars, on entamait toujours son numéro de drague par : « Alors, c'est quoi ton siècle ? »

« De temps à autre je donne un cours sur un thème spécial, par exemple, "Humour et Personnalité à la Maison Blanche". C'est le sujet de mon prochain livre. » Elle pensa à ce qu'on lui avait dit autrefois à propos des oiseaux à berceau, comment ils construisent des structures élaborées avant de s'accoupler.

« Ton livre traite de *l'humour* ?

– Ouais et, bon, quand je donne un cours comme ça, j'analyse le thème à travers les siècles. » *Alors, c'est quoi ton siècle ?*

« Tous les trois.

– Pardon ? » La brise faisait briller ses yeux. Les voitures s'emballaient en dessous d'eux. Elle se sentait pousser des ailes mais frêle, comme quelqu'un qui serait arrivé au Paradis par erreur et en aurait été chassé.

Trois. Il n'y en a que trois.

« Euh, quatre en fait. » Elle pensait à Jamestown et aux premiers colons débarquant en Amérique avec leurs boucles de ceintures et leurs chapeaux de sorcières pour dire leurs prières.

« Je suis photographe », dit Earl. Son visage luisait à présent et son fard à joues dessinait un coucher de soleil sous ses yeux.

« Ça te plaît ?

– Eh bien, en fait, je commence à penser que c'est un peu dangereux.

– Ah bon ?

– Passer autant de temps dans une chambre noire avec cette lumière rouge et ces produits chimiques. Ça peut donner la maladie de Parkinson, tu sais.

– Non, je ne savais pas.

– Je devrais porter des gants en caoutchouc, mais j'aime pas trop. À moins de toucher directement, j'ai du mal à penser que c'est vrai.

– Hmmm », dit Zoé. Un frisson d'excitation la parcourut mais doucement, comme du thé.

« Parfois quand je me coupe, je sens la brûlure et je me dis, *Merde*. Je lave la blessure encore et encore et je prie. Je n'aime pas le caoutchouc sur la peau.

– Vraiment ?

– Le contact physique, y a que ça de vrai, sinon, à quoi bon s'embêter ?

– Sûrement », dit Zoé. Comme elle aurait aimé raconter une blague, lentement et de manière délibérée, avec une chute prévisible ! Elle pensa aux gorilles qui, quand on les gardait trop longtemps en cage, tapaient sur la tête de leur compagne au lieu de s'accoupler.

« Est-ce que… tu as quelqu'un ? » lança Earl tout à coup.

« Maintenant, là ?

– Eh bien, je suis sûr que tu as ton *travail.* » Un sourire étrange se nicha dans sa bouche comme un œuf. Elle pensa aux zoos dans les parcs et aux gens qui mangeaient les animaux en temps de guerre.

« Mais je parlais d'un *homme.*

– Je n'ai personne. » Elle se frotta le menton de la main et y sentit le poil rêche. « Mais le dernier type avec qui je suis sortie était très gentil. » Elle inventa une histoire. « Un Suisse, un botaniste expert en mauvaises herbes. Il s'appelle Jerry. Je l'avais surnommé "Jare". Il était tellement drôle. Quand on regardait un film, il ne prêtait attention qu'aux plantes. Il se fichait totalement de l'histoire. Une fois au cinéma, alors qu'on regardait un film d'aventures dont l'intrigue se déroulait dans la jungle, il a commencé à me débiter tous ces noms latins, à voix haute. C'était très excitant pour lui. » Elle s'arrêta pour reprendre son souffle. « Il a fini par retourner en Europe pour, heu, étudier l'edelweiss. » Elle regarda Earl. « Est-ce que tu as quelqu'un, toi ? Une *femme* ? »

Earl s'appuya sur son autre jambe. Le dessin des plis changea et son body parut morcelé. Ses poils pubiens apparurent d'un côté, comme la poitrine d'une serveuse de saloon débordant de son corsage. « Non », dit-il en se raclant la gorge. Les tampons jex sous ses aisselles glissaient vers ses biceps. « Je sors à peine d'un mariage plein de mauvais dialogues du genre, "Tu veux plus d'espace ? Je vais t'en donner, moi !" *bang*. Les Trois Stooges. »

Zoé le regarda pleine de compassion. « Je suppose que c'est difficile pour l'amour de s'en remettre après ça. »

Ses yeux s'allumèrent. Il voulait parler d'amour. « Je pense que l'amour devrait être comme un arbre. Les arbres ont des cicatrices à cause de tumeurs, de maladies, et que sais-je encore. Mais ils continuent de pousser. Malgré les bosses et les bleus, ils sont… droits.

– Mouais, ma foi, dans mon coin, soit ils sont mariés, soit ils sont homos. Tu as vu ce film, *Sept Morts sur ordonnance ?* »

Earl la regarda, un peu perdu. Il avait du mal à la suivre. « Non », répondit-il.

Un de ses seins était coincé sous son bras, comme une baguette. Elle continuait à penser aux arbres, aux gorilles, aux zoos, et aux gens qui mangeaient des zèbres en temps de guerre. Elle sentit une douleur fulgurante dans son ventre.

« Vous voulez des amuse-bouches ? » proposa Evan en passant la tête par la porte coulissante. Elle souriait malgré ses bigoudis qui étaient défaits et pendaient au bout de ses cheveux comme des décorations de Noël, ou comme de la nourriture que l'on aurait mise dehors pour les oiseaux. Elle leur tendit une assiette de champignons farcis.

« Tu fais la quête, ou tu veux t'en débarrasser ? » dit Earl sur le ton de la plaisanterie. Il aimait beaucoup Evan et mit son bras autour de ses épaules.

« Vous savez quoi, je reviens tout de suite, dit Zoé.

– Oh, dit Evan, l'air contrairé.

– Tout de suite, promis. »

Zoé se dépêcha de rentrer, traversa le salon, la chambre, jusqu'à la salle de bains adjacente. Il n'y avait personne ; la plupart des invités utilisaient les toilettes près de la cuisine. Elle alluma la lumière et ferma la porte. La douleur s'était arrêtée et elle n'avait plus vraiment besoin d'aller aux toilettes, mais elle resta quand même dans la salle de bains, pour se reposer. Dans le miroir au-dessus du lavabo elle avait l'air hagard sous son os à moelle et sa peau marbrée de veines gris-violet lui faisait ressembler à un oiseau chétif et plumé. Elle se pencha un peu plus en avant et menton levé pour trouver le poil rêche. Il était là, en dessous de la mâchoire, aussi fin et noir qu'un fil électrique. Elle ouvrit l'armoire à pharmacie et y trifouilla jusqu'à ce qu'elle trouve une pince à épiler. Elle souleva à nouveau la tête et se tripota le menton, attrapant avec les bouts métalliques, pinçant, et loupant son coup. De l'autre côté de la porte, dans la chambre, elle entendait deux invités qui parlaient à voix basse. Ils étaient assis sur le lit. L'un d'entre eux gloussa de manière empruntée. Elle attaqua à nouveau son menton qui se mit bientôt à saigner. Elle lissa la peau sur la mâchoire, serra fortement la pince à épiler autour de ce qu'elle espérait être le poil, et tira. Elle emporta un petit carré de peau mais le poil resta là où il était, avec du sang brillant à la racine. Zoé serra les dents. « Du cran », murmura-t-elle. Le couple dans la chambre se racontait des histoires à présent, d'une voix douce, et ils riaient. Il y eut un bruit de ressort à matelas, et celui d'une chaise qu'on enlève du chemin. Zoé fit attention de bien viser avec la pince à épiler, pinça puis tira avec application, et cette fois-ci le poil suivit, accompagné d'une légère douleur et d'un grand flot de soulagement. « Ouf ! » dit Zoé dans un souffle. Elle attrapa quelques feuilles de papier toilette et tamponna son menton. Des taches rouges y apparurent. Elle en arracha d'autres qu'elle appliqua sur la blessure, jusqu'à ce que le saignement cesse. Puis elle éteignit la lumière et ouvrit la porte pour rejoindre la fête. « Excusez-moi », dit-elle aux invités dans la chambre. C'était le couple du balcon et ils la regardèrent, un peu surpris. Ils mangeaient des bonbons, enlacés.

Earl était toujours dehors, seul.

« Salut », dit-elle. Il se retourna et sourit. Il avait remis de l'ordre dans son costume, même si les caractères sexuels secondaires semblaient quelque peu en danger, menaçant de bouger, de valdinguer à tout moment.

« Ça va ? » lui demanda-t-il. Il avait ouvert une autre bière et buvait de grandes lampées.

« Oui. J'avais juste besoin d'utiliser la salle de bains. » Elle s'arrêta. « En fait, j'ai vu beaucoup de médecins ces derniers temps.

– Qu'est-ce qui ne va pas ? demanda Earl.

– Oh, sans doute rien de grave. Je passe des examens. » Elle soupira. « J'ai eu des échographies, des mammographies. La semaine prochaine j'irai passer une sucettographie. » Il la regarda, l'air inquiet. « J'ai entendu trop de noms en -phie ces derniers temps.

– Tiens, je t'ai gardé ça. » Il lui tendit une serviette avec deux champignons farcis. Ils étaient froids et avaient laissé des traces d'huile sur la serviette.

« Merci. » Elle les enfourna tous les deux dans sa bouche. « Tu sais, dit-elle en mangeant, avec le bol que j'ai, ce sera une opération de la vessie. »

Earl fit une grimace. « Alors comme ça ta sœur se marie, dit-il en changeant de sujet. Dis-moi, qu'est-ce que tu penses de l'amour ?

– L'amour ? » N'avaient-ils pas déjà abordé ce sujet ? « Je ne sais pas. » Elle mâchouilla pensivement et déglutit. « O.K. Je vais te dire ce que j'en pense. Je vais te raconter une histoire. J'ai cette amie qui…

– Tu as quelque chose sur le menton, dit Earl, et il tendit la main pour le toucher.

– Quoi ? » dit Zoé en reculant. Elle détourna son visage et attrapa fermement son menton. Un morceau de papier toilette s'en décolla, comme du scotch. « Ce n'est rien. C'est juste… ce n'est rien. »

Earl la regardait fixement.

« Quoi qu'il en soit, continua-t-elle, j'ai cette amie qui était une violoniste primée à de nombreuses reprises. Elle a voyagé partout en Europe, elle a enregistré des disques, donné des concerts, elle est devenue célèbre. Mais elle n'avait pas de vie en dehors de ça. Alors un beau jour, elle se jeta aux pieds de ce chef d'orchestre dont elle était folle amoureuse. Il la releva, la gronda gentiment, et puis la renvoya à sa chambre d'hôtel. Après ça elle revint aux États-Unis, dans sa ville natale, arrêta de jouer du violon, et sortit avec un joueur de base-ball. Ça se passait dans l'Illinois. Il l'invitait tous les soirs dans un bar de sportifs à boire un coup avec ses potes de l'équipe. Il avait l'habitude de lancer des choses du genre : “Katrina aime bien jouer du violon”, et puis il lui pinçait la joue. Une fois où elle avait suggéré qu'ils rentrent chez elle, il lui avait répondu : “Quoi, tu crois peut-être que tu es trop bien pour cet endroit ? Eh bien, laisse-moi te dire un truc. Tu penses peut-être que tu es célèbre, mais franchement tu n'es pas *célèbre* célèbre.” Deux célèbres. “Personne n'a jamais entendu parler de toi ici.” Et puis il retourna voir ses copains et paya une tournée générale, sauf pour elle. Elle attrapa son manteau, rentra chez elle, et se tira une balle dans la tête. »

Earl était silencieux.

« C'est la fin de mon histoire d'amour.

– Tu ne ressembles pas du tout à ta sœur.

– Vraiment ? » L'air était devenu plus frais, le vent chantait en mineur, aussi pesant qu'un chant funèbre.

« Non. » Il ne voulait plus parler d'amour. « Tu sais, tu devrais porter du bleu – du bleu et du blanc – près de ton visage. Ça mettrait en valeur ton teint. » Il tendit un bras vers elle pour lui montrer comment le bracelet bleu qu'il portait lui seyerait au teint, mais elle le repoussa.

« Dis-moi, Earl. Qu'est-ce que ça t'évoque le mot *tapette* ? »

Il recula et secoua la tête, incrédule.

« Franchement, je devrais tout bonnement éviter de sortir avec des femmes de tête. Vous êtes toutes timbrées. On n'a pas de mal à deviner ce que la vie vous a fait. Je m'en tire mieux avec les femmes qui travaillent à mi-temps.

– Ah oui ? » dit Zoé. Elle avait lu un article intitulé « Les femmes qui travaillent et la démographie du chagrin ». Ou bien non, c'était un poème : *S'il y avait un lac, la lune danserait dessus avec rage*. Elle se souvenait de ce vers. Mais peut-être le titre en était-il « La maison vide : de l'esthétique du vide ». Ou alors « Ces bohémiennes de l'espace : les femmes universitaires ». Elle avait oublié.

Earl se tourna et s'appuya contre la rambarde du balcon. Il se faisait tard. À l'intérieur, les invités commençaient à se disperser. Les sorcières sexy étaient déjà parties. « Vivre et apprendre, murmura Earl.

– Vivre et s'abêtir », répliqua Zoé. En dessous d'eux, sur Lexington, il n'y avait plus de voitures, simplement la course dorée d'un taxi occasionnel. Il s'appuya fortement sur ses coudes, ruminant.

« Regarde-moi ces gens en bas, dit-il. Ils ressemblent à des insectes. Tu sais comment on contrôle la natalité des insectes ? On les asperge d'hormones, des hormones d'insectes femelles. Les insectes mâles s'affolent tellement en présence de cette hormone qu'ils tringlent tout ce qu'ils trouvent : arbres, pierres – tout sauf les insectes femelles. Contrôle de la démographie. C'est ce qui est en train d'arriver dans ce pays, dit-il dans son ébriété. Des hormones partout, et maintenant les hommes tringlent des pierres. Des pierres ! »

Dans son dos, le feutre marquant ses fesses s'étalait à grands traits de noir sur fond rose comme dans une bande dessinée. Zoé s'approcha lentement par-derrière et le poussa. Les bras de Earl glissèrent en avant, lâchèrent la balustrade et pendirent dans le vide. De la bière coula de sa canette et dégoulina du haut de vingt étages jusqu'à la rue.

« Hé, qu'est-ce que tu fais ? » dit-il en faisant volte-face. Il se redressa, se ressaisit et s'éloigna de la balustrade, esquivant Zoé. « Mais qu'est-ce qui t'a pris, *bon Dieu* ?

– C'était pour rire, juste pour rire. » Mais il lui lança un regard scandalisé et effrayé ses fesses offertes à présent à la ville entière, pseudo-femme nue avec un bracelet bleu au poignet, coincée sur un balcon avec – avec *quoi* ? « *Franchement, c'était juste pour rire !* » cria Zoé. Le vent souleva ses cheveux de sa tête vers le ciel. S'il y avait un lac, la lune danserait dessus avec rage. Elle lui sourit, et se demanda à quoi elle ressemblait.

Des endroits pour la tranquillité de l'âme

On pouvait lire sur la pancarte : BIENVENUE EN AMÉRIQUE, en lettres rouges et grasses. En dessous, en lettres bleues et plus petites, Millie avait écrit *John Spee*. Virgule, *John Spee*. Elle tenait la pancarte serrée contre elle comme un médaillon, un objet posé contre son cœur pour lui porter chance : un serment d'allégeance. Elle attendait un garçon qu'elle ne connaissait pas et qu'elle n'avait même jamais vu en photo, un ami anglais de sa fille Arielle. Arielle passait un trimestre à l'étranger et le garçon était le frère de l'une de ses camarades de chambre à l'Université de Warwick. Il travaillait comme mécanicien dans le Surrey, et parce qu'il désirait plus que tout visiter les États-Unis, Arielle lui avait dit que s'il avait besoin d'un endroit où séjourner, il pouvait toujours aller chez ses parents dans le New Jersey. Elle leur avait écrit pour les en informer. « J'ai dit à John Spee qu'il pouvait dormir dans l'ancienne chambre de Michael, à moins que vous ne l'utilisiez toujours comme "bureau". Auquel cas il peut prendre la mienne. »

Bureau entre guillemets. Il fut un temps où Millie avait espéré démarrer une affaire dans cette pièce, un projet lié au recyclage des déchets et autres problématiques environnementales. Elle aurait aimé devenir consultante, mais quand elle contactait une entreprise ou une association, personne ne voyait très bien à quel sujet ils la consulteraient. Pendant un certain temps Millie avait rempli le bureau avec des cartes de visite, des fournitures et des factures, au cas où elle aurait à remplir un jour une feuille d'impôts. Sa fille et son mari roulaient des yeux puis regardaient, embarrassés, dans l'autre direction.

Arielle formait ses guillemets avec quatre petits traits rapides, pas les six et les neuf appliqués que Millie avait appris à faire il y a longtemps. Sa fille avait un côté enfant gâté, une impudence tranquille qui dérangeait Millie. Elle lui avait écrit: « Ton père et moi n'avons rien contre, et ce sera certainement sympathique de rencontrer ton ami. Mais nous préférerions que la prochaine fois tu nous demandes notre avis avant d'offrir *notre maison.* » Elle avait souligné *notre maison* avec une sévérité appuyée. « Tu ne dois pas t'imaginer que tout t'est dû. » Ça lui avait coûté pas mal d'argent d'envoyer Arielle à l'étranger. Millie n'avait jamais été en Angleterre. Ni même ailleurs, quand on y regardait de plus près. Enfant, elle était allée en Floride, mais elle en gardait si peu de souvenirs. Elle se rappelait surtout la lumière éblouissante du ciel et les couleurs étourdissantes.

Des gens sortaient par la porte des douanes de l'aéroport de Newark, soulagés et fatigués, et parmi eux se trouvait un garçon roux et mince d'une vingtaine d'années. Il alluma une cigarette, scruta la foule, puis, lorsqu'il vit Millie, se dirigea vers elle. Il portait une vieille veste couleur fauve, des tennis en daim bleu, et une casquette de base-ball sur laquelle était marqué *Yankees*, une contrefaçon.

« C'est vous Mme Keegan ? lui demanda-t-il en prononçant *Kaygan.*

– Hmm, oui, c'est moi », dit Millie et elle rougit comme si elle était surprise. Elle laissa tomber la pancarte sur le côté : elle lui paraissait ridicule à présent, avec son message gigantesque et coloré. Elle tendit la main en guise de salut. Elle esquissa un sourire chaleureux mais eut peur de paraître « artificielle », ce dont Arielle l'accusait parfois. « C'est comme si tu suivais un article de magazine à la lettre, lui avait dit sa fille. Comme si tu essayais d'être heureuse grâce à un livre. » Millie possédait plusieurs livres de développement personnel.

John fit passer sa cigarette dans l'autre main et serra celle de Millie. « John Spee », dit-il, en prononçant son nom *Spay.* Sa main était grosse et osseuse, comme la patte d'un poulet.

« Eh bien, j'espère que votre vol s'est déroulé sans histoires, lui dit Millie.

– Oh, pas vraiment. J'étais assis à côté d'un type qui m'a raconté plein d'histoires sur la guerre du Vietnam et puis j'ai regardé deux films là-dessus : *Voyage au bout de l'Enfer* et, euh, j'ai oublié l'autre titre. » Il semblait inquiet et en même temps fier de lui, d'être arrivé là où il était arrivé.

« Est-ce que vous avez d'autres bagages ?

– C'tout ! » murmura-t-il, un petit sac marin au bras et se retournant juste assez pour que Millie voie un sac à dos de l'U.S. Army.

« Vous ne voulez pas garder cette pancarte, si ? » demanda Millie. Elle la plia en quatre comme une serviette et la fourra dans son sac. Une voix de femme répétait dans le haut-parleur: «M. Crocket, M. David Crocket est demandé au téléphone.

– C'est plutôt drôle, ça», dit Millie.

Dans la voiture, en route vers Terracebrook, John Spee sortit un paquet de Johnny Parliaments et fuma comme un pompier. Il parla du Surrey, de ses copains du pub et de la banlieue où il vivait qui s'appelait Worcester Park. «J'ai jamais été très branché études, alors c'était sûr que j'irais pas à l'université.» Il parla de la montée du chômage et de sa voiture «du tonnerre», qu'il avait vendue pour se payer le voyage. Il avait travaillé six ans comme mécano, un boulot qu'il avait lâché pour venir ici. «Peut-être que je resterai un certain temps aux États-Unis. J'envisage d'aller à New York. Mais je regrette d'avoir dû vendre ma voiture.» Il jeta un regard à la Chevrolet au moteur gonflé qui les dépassait à vive allure.

«Oui, c'est vraiment dommage.» Que pouvait-elle dire d'autre ? À la radio, on parlait de la péniche poubelle, et elle monta le son. Le bateau avait été rejeté par deux États et deux pays étrangers, et voguait maintenant, sans attaches, vers le Texas. «À une époque j'avais une entreprise, expliqua-t-elle à John. Pour les poubelles et le recyclage des ordures. Malheureusement, ça n'a jamais vraiment marché.» Le journaliste à la radio citait un poème. *Le rebut de vos rivages surpeuplés*, disait-il. *Ouais, ouais, ouais*, disait-il.

«Je passe un diplôme universitaire par correspondance», dit Millie, puis elle rougit. Ça avait été son secret. Même Hane l'ignorait. «Ne le dites pas à mon mari, ajouta-t-elle vivement. Il n'est au courant de rien. Il n'approuve pas vraiment mon intérêt pour les affaires. Il est prof. De religion, pour les premiers cycles. »

John regardait défiler les concessionnaires auto et les fast-foods qui flanquaient la nationale. « Il est prêtre, ou quoi ? » Il inhala la fumée de sa cigarette et la retint comme une pensée.

« Oh, non », dit Millie. Elle soupira. Hane allait à l'église tous les dimanches. C'était un fidèle, elle le savait. Elle-même n'y allait plus régulièrement depuis plus d'un an. Aujourd'hui elle assistait à la messe de temps à autre, comme elle visiterait un musée, et ça attristait Hane. Mais elle n'y pouvait rien. « C'est pas mon truc », avait-elle dit à son mari, une expression d'Arielle qu'elle trouvait juste, pleine d'auto-indulgence, comme sa fille.

« Il y a toujours du monde sur cette route, dit Millie. Mais comme les gens conduisent vite on n'est pas retardé. »

John lui jeta un regard en biais. « Vous ressemblez un peu à Arielle.

– Vraiment ? » lança Millie, gaiement, parce qu'elle avait toujours trouvé que leur fille était trop mignonne pour être la leur. Arielle avait l'ossature et les yeux d'une princesse ou d'une star de cinéma. L'enfant de Mitzi Gaynor. Ou de la Reine d'Angleterre. Ironie du sort, c'était Michael, leur aîné, qui leur ressemblait le plus.

« Mais oui, dit John. Vous ne trouvez pas ? »

Au printemps, Millie entraînait souvent ses invités dans le jardin pour qu'ils y admirent ses tulipes primées – qui en fait n'étaient pas du tout les siennes mais celles des anciens propriétaires de la maison.

La femme avait acheté des bulbes primés et en avait même planté dans la bordure du voisin. Le jardin était petit, c'est sûr, mais le couple était du genre yuppies et Millie s'était dit que le jardinage agressif allait de pair avec ces gens-là.

Millie s'engagea dans l'allée du garage et coupa le moteur. « Pour l'instant je vous épargne les tulipes. Je suppose que vous aimeriez vous reposer, à cause du décalage horaire.

– Ouais », répondit John. Il sortit de la voiture et balança son sac marin sur son épaule. Il survola du regard les pelouses identiques, d'un ocre encore pâle à cause de l'hiver, et les boîtes de différentes tailles, avec leurs porches misérables encadrant les portes d'entrée comme des barbiches. Il eut l'air surpris. *Il devait croire que nous étions de riches Américains*, pensa Millie. « Vous êtes fatigué ? lui demanda-t-elle.

– Pas tant que ça. » Il inspira profondément et des gouttes de sueur apparurent sur son front.

Millie gravit les marches, sortit une clé de derrière la boîte aux lettres en métal noir, et ouvrit la porte. « Vous êtes ici chez vous », dit-elle, l'invitant à entrer par un mouvement des bras.

John pénétra dans la maison, une cigarette allumée à la bouche, les yeux plissés à cause de la fumée. Il posa son sac marin et son sac à dos et jeta un regard au salon. Il y avait des encyclopédies et des figurines en porcelaine. Il y avait quelques photos d'Arielle placées sur une étagère. La plupart des meubles étaient vieux et déglingués. Il y avait une Bible et un *Time* sur la table basse.

« Je vais vous montrer votre chambre », dit Millie, et elle l'emmena le long d'un petit couloir puis ouvrit une porte sur la droite. « Autrefois c'était la chambre de mon fils, mais il… il n'est plus avec nous. » John hocha la tête d'un air sombre. « Il n'est pas mort, s'empressa d'ajouter Millie, simplement il n'est plus avec nous. » Elle se racla la gorge – quelque chose y était coincé, une égratignure, un hématome de mots. « Il a quitté la maison il y a dix ans et on n'a plus jamais eu de nouvelles. D'après la police, ce serait la drogue. » Millie haussa les épaules. « Peut-être bien que c'était la drogue après tout. »

John cherchait un endroit où faire tomber ses cendres. Millie attrapa un pot de bégonias sur le rebord de la fenêtre et le lui tendit. « Ne prêtez pas attention au bureau et au placard métallique. Je les utilisais quand je travaillais. » Sur le mur d'en face trônait un berceau à côté d'une commode en bouleau blond. « Faites-moi savoir si vous avez besoin de quoi que ce soit. Oh, j'allais oublier ! Les serviettes sont dans la salle de bains, derrière la porte.

– Merci », dit John, et il regarda sa montre comme un homme qui a des projets.

« Tout ce qu'on a à manger ce soir ce sont des restes ! » Millie émergea de la cuisine avec des maniques matelassées et une grande poêle en fonte. Elle rayonnait comme les présentateurs de galas de remise de prix ; elle aimait regarder la télé quand celle-ci distribuait la joie.

Hane, qui était tombé sur John alors qu'il sortait de la salle de bains et avait marmonné un comment-allez-vous embarrassé, présidait la table de la salle à manger et s'apprêtait à faire le service. John était assis dans le coin, à l'ancienne place de Michael. Il contemplait le saladier, les tranches de poivrons en forme de trèfles,

les rondelles de tomates semblables à des cadrans d'horloge. Il avait pris une douche et s'était fait une raie plutôt extrême sur la gauche.

« On aurait pu faire un peu mieux que ça pour votre première soirée en Amérique », dit Hane en trifouillant l'amas frit de purée de pommes de terre, de navets, de brocolis, et d'œufs pas assez cuits. « Millie, comme vous le savez peut-être déjà, est très éprise de recyclage. » Une mortification bon enfant filtrait dans le son de sa voix, une mélodie autocritique qui était sa façon à lui de réprimander les siens. Il ne faisait pas de vraie distinction entre lui-même et sa famille. Elle était lui, son côté féminin, sentimental, et justifiait, exigeait même, ses commentaires incessants.

« Pas de problème, dit John.

– Préférez-vous du lait écrémé ou du lait entier ? lui demanda Millie.

– Entier, je crois », et ensuite, non sans nervosité, il ajouta : « De l'eau, je préférerais de l'eau, s'il vous plaît. Ne vous dérangez pas, Mme Keegan.

– Dans le New Jersey l'eau pose autant de problèmes que le lait, dit Millie. À vous de choisir, jeune homme.

– De l'eau alors, s'il vous plaît.

– Vous êtes sûr ?

– Du lait alors, merci. »

Millie repartit à la cuisine. Elle se demanda si John pensait qu'ils étaient trop pauvres pour s'offrir du lait. Le quartier lui paraissait probablement minable. Millie elle-même avait été déçue quand ils avaient emménagé ici, après avoir habité dans la partie nord de la ville, Arielle étant entrée à la fac et Hane s'étant vu refuser la chaire dont il avait toujours rêvé. C'était la première fois qu'elle avait vu son mari pleurer, et elle en était venue à penser qu'ils étaient pauvres, même si elle savait que ce n'était pas vrai. Du moins en partie.

Millie regarda fixement dans le réfrigérateur, non pas pour y chercher voracement quelque chose, n'importe quoi, qui apaiserait son agitation, comme quand elle était plus jeune, mais parce qu'elle avait oublié à présent pourquoi elle était là. *Va voir dans le frigo*, c'était la vieille blague de son mari lorsqu'elle n'arrivait pas à mettre la main sur un objet qu'elle n'avait pas remis à sa place. « Des endroits pour la tranquillité de l'âme », disait-il, et puis il se mettait à réciter une liste. Il lui était déjà arrivé de ranger par erreur une chemise cartonnée dans le congélateur.

« Qu'est-ce que je suis venue chercher ? » demanda-t-elle à voix haute, et le moteur du frigo sursauta en réaction à l'air chaud. Elle avait laissé la porte ouverte trop longtemps. Elle la ferma et revint dans la salle à manger où elle se tint debout pendant un moment. En voyant le verre vide de John, elle dit : « Du lait, c'est ça », et elle retourna à la cuisine.

« Alors comment s'est passé le vol ? » demanda Hane en tendant à John une assiette pleine de nourriture. « Si vous avez trop de navets, dites-le-moi. Servez-vous en salade. » Ça faisait des années qu'ils n'avaient pas eu de garçon à la maison, et il se demandait s'il savait encore comment leur parler. Ou s'il avait jamais su. « Attends qu'ils grandissent, avait-il dit à Millie à propos de leurs deux enfants. À ce moment-là, je saurai quoi leur dire. » Même pendant ses conférences, il avait tendance à radoter, préférant observer le paysage par la fenêtre, plutôt que de regarder ses étudiants.

« Quand ils seront plus grands, ce sera trop tard », avait répondu Millie.

Mais Hane avait pensé, *Non, ce n'est pas vrai.* À ce moment-là, il serait président de l'université, ou d'une école de théologie, et quand il leur parlerait, il en serait à un tel niveau de réussite que cela voudrait dire quelque chose pour eux. Il pourrait leur raconter l'histoire de sa vie. En attendant, ses enfants n'avaient pas porté un grand intérêt à ses efforts de conversation. « Laisse tomber, papa, lui disait toujours son fils. Laisse tomber. » Quoi que dise Hane, debout dans l'embrasure d'une porte ou en train de servir le dîner – « Comment s'est passée ta journée à l'école, fiston ? » – Michael lui disait toujours de laisser tomber, papa. Une fois, dans le salon, Hane s'était senti incapable d'en supporter davantage. Il avait attrapé Michael par le bras puis l'avait frappé au visage à plusieurs reprises.

« C'est parfait, merci, dit John au sujet des navets. Et le vol s'est bien déroulé. J'ai regardé des films.

– Qu'est-ce que vous avez l'intention de faire à présent ? » Il y avait quelque chose de bourru dans son ton, ce qui arrivait souvent, même si Hane le faisait rarement exprès, et n'en avait presque pas conscience, comme s'il s'agissait d'un signe de ponctuation.

John but quelques gorgées de lait et tritura sa serviette.

« Hane, réservons ça pour après les grâces, dit Millie.

– C'est ton tour. » Hane hocha la tête puis la baissa. John Spee se tenait très droit, le regard fixe.

Millie commença. « "Bénissez, Seigneur, cette nourriture que nous allons prendre, et donnez du pain à ceux qui en ont déjà…" Aïe. "Amen." Vous avez entendu ce que j'ai dit ?» Elle grimaça, comme si elle était fière.

« Nous en déduirons que tu l'as fait exprès, n'est-ce pas, John ?» Hane regarda par-dessus ses lunettes et adressa un sourire de connivence au garçon.

« Oui », répondit John. Il jeta un coup d'œil aux figurines de porcelaine sur l'étagère, à sa droite. Il y avait une ballerine et un clown.

« Eh bien, dit Millie, peut-être que oui. » Elle posa sa serviette sur ses cuisses et commença à manger. Elle aimait les restes, le gras chaud et réconfortant, leur goût et leur côté écologique.

« C'est très bon, Mme Keegan, dit John en mâchant.

– Avant que vous partiez, je préparerai un vrai repas. Plusieurs même.

– Vous souhaitez rester combien de temps ? » demanda Hane.

Millie reposa sa fourchette. « Hane, je te l'ai déjà dit : trois semaines.

– Peut-être seulement deux », dit John Spee. L'idée semblait le réjouir. « Mais bon, il se peut que je trouve un appartement dans la Grosse Pomme et que je reste pour toujours. »

Millie hocha la tête. Les étrangers parlaient toujours de New York comme d'un fruit défendu et monstrueux que l'on conquérait avec un équipement d'alpiniste. Ça leur donnait certainement de l'énergie, d'y penser de cette manière.

« Mais qu'est-ce que vous allez faire ? » Hane étudiait la nourriture sur sa fourchette, la laissant planer pendant un temps entre son assiette et sa bouche, le purgatoire digestif. La grande peur de Hane, c'était la paresse. Particulièrement chez les garçons. *Qu'est-ce que vous allez faire ?*

« Hane ! le gronda Millie.

– En Angleterre, aucun de mes potes n'a un boulot. Ils sont tous jaloux parce que j'ai vendu la voiture et que je suis parti à New York.

– Ici c'est le New Jersey, jeune homme, le corrigea Millie. Vous verrez New York demain. Je vous donnerai les horaires de trains.

– Vous avez vendu votre voiture », répéta Hane. Hane n'avait vendu aucune de ses voitures. Il les avait toujours échangées. « C'est une sacrée décision. »

Le jour suivant, Millie fit pour John une liste des choses à faire et à voir à New York. Hane était déjà parti au travail. Elle s'assit à la table de la salle à manger et écrivit :

Statue de la Liberté
World Trade Center
Times Square
Broadway

Elle s'arrêta un instant et réfléchit.

Metropolitan Museum of Art
Tour complet de Manhattan en bateau

La porte de « la chambre d'amis » était encore fermée. Il était étrange de constater à quel point ça lui plaisait que quelqu'un occupe cette pièce. Pendant trop longtemps, tout ce qu'elle avait fait c'était s'asseoir dans cette chambre, à gribouiller sur ses cartes de visite et à penser à Michael. Les cartes de visite avaient été faites avec du papier recyclé, mais l'imprimeur avait oublié de le mentionner au dos. Elle l'avait donc inscrit elle-même, au stylo plume. L'imprimeur avait également oublié la seconde initiale de son nom – Consultante en projets environnementaux, Mildred *R.* Keegan – et elle s'était retrouvée, pendant plusieurs semaines, à ajouter le R au stylo, carte après carte. Plus tard, Arielle lui avait dit que ses cartes avaient l'air ridicule, et Millie avait dû lui donner raison. Elle passa ensuite des journées entières assise à son bureau à couper les cartes en ronds, en triangles, en carrés, comme si son entreprise était devenue une folie. Elle les laissait traîner dans la maison, et Hane finissait par les trouver dans de drôles d'endroits – sur la table de la cuisine, dans les toilettes. Un soir, alors qu'ils étaient couchés, il se tourna vers elle et lui dit : « Millie, tu as cinquante et un ans. Tu n'as pas besoin de faire carrière. Franchement, tu n'en as pas besoin », et elle avait caché son visage dans ses mains pour pleurer.

John Spee sortit de sa chambre. Ses cheveux étaient partagés par une raie tracée au cordeau et le blanc de son crâne apparaissait aussi éclatant qu'un bloc opératoire.

« J'ai fait une liste des choses que vous voudrez probablement faire », dit Millie.

John s'assit. « Qu'est-ce que c'est ? » Il montra du doigt le Metropolitan Museum of Art. « Je ne suis pas tellement branché musées. On allait souvent au British Museum avec l'école. Ma sœur aime ce genre de trucs, mais moi pas.

– Ce ne sont que des suggestions. » Millie déposa un muffin et une orange coupée en quartiers devant lui.

John lui sourit, reconnaissant. Il prit un morceau d'orange, le pressa contre ses dents, et le suça jusqu'à ce qu'il se transforme en un coussin humide et filandreux.

« Je vous conduis à la gare pour que vous attrapiez le train de dix heures deux si vous êtes prêt à partir d'ici un quart d'heure », dit Millie. Elle s'assit de biais sur une chaise et attaqua un deuxième muffin. Ses mouvements étaient agrémentés de gestes adolescents, comme si de temps à autre son corps retombait dans un souvenir ou un espoir.

« Ce serait merveilleux, merci, répondit John.

– Vous n'aimiez vraiment pas vivre en Angleterre ? » demanda Millie, mais ils mangeaient maintenant tous les deux, et il leur était difficile de parler.

À la gare elle lui glissa un billet de vingt dollars dans la main et l'embrassa sur la joue. Il eut un mouvement de recul et monta dans le train. « Allez voir une pièce de théâtre », articula silencieusement Millie derrière la vitre.

Au dîner il y avait juste Hane et elle. Hane parlait à nouveau de Jésus, le Jésus historique, et dissertait sur le fait que tous s'étaient mépris au sujet des pouvoirs prophétiques du Christ, y compris Jésus lui-même.

« Jésus pensait que la fin du monde était proche, mais il avait tort. Il ne parlait pas seulement de Jérusalem. Il annonçait la fin du monde. D'un point de vue eschatologique, il avait tout faux. Il s'est trompé. Le monde a continué de tourner.

– Peut-être qu'il s'agissait d'une image. Tu sais, poétiquement parlant, pas littéralement. » Millie avait entendu Hane suggérer cela lui-même. C'était ses mots à lui qu'elle reprenait, elle lui empruntait un de ses arguments.

« Non, il en parlait littéralement, aboya Hane un peu férocement.

– Eh bien, nous commettons tous des erreurs. N'est-ce pas la façon dont fonctionne le monde ? » Elle essayait toujours d'écouter son mari d'une oreille attentive. Elle savait qu'il n'y avait plus beaucoup d'étudiants qui s'inscrivaient à ses cours, et ceux qui le faisaient étaient souvent des intégristes, une bande d'ignares, disait Hane, qui n'avaient que faire de l'histoire et de la métaphore. À quoi pouvait bien leur servir la Bible ! Hane souhaitait réconcilier la religion avec la science et l'histoire, mais ces jeunes « Pentecôtistes », comme il les appelait, ne croyaient ni à la science ni à l'histoire. « Ils n'ont pas de cervelle, ces gamins-là. Et si l'on veut nourrir son âme – et ils le veulent, je crois – il faut avoir un esprit.

– La propreté est mère de sainteté, dit Millie.

– Qu'est-ce que tu racontes ? » Il avait l'air déprimé et impatient. Parfois il avait l'impression d'avoir épousé une imbécile, et cela lui donnait le sentiment d'être seul au monde.

« J'ai réfléchi à la péniche poubelle, dit Millie. Je crois que mon esprit part à la dérive, tout comme ce tas de détritus. » Elle sourit. Elle avait écouté tous les bulletins d'information concernant la péniche, avait tracé sur une carte son itinéraire, d'Islip où elle avait de la famille, jusqu'à Morehead City où elle en avait également. « Imaginez un peu », avait-elle confié à sa voisine dans le jardin, près des tulipes primées qui n'appartenaient à aucune d'elles. « De la famille aux deux extrémités ! De la famille poubelle ! »

Millie s'essuya la bouche avec sa serviette. « Elle n'a nulle part où aller », dit-elle à son mari.

Hane se resservit des restes. Il pensa à Millie et à l'intérêt qu'elle portait à l'écologie. Ça le déconcertait et l'intimidait, comme une chose typiquement féminine. Dans la cuisine, Millie avait un assortiment de boîtes pour le recyclage des produits domestiques. Sur ces boîtes était écrit *Aluminium*, *Plastique*, *Détritus secs*, *Détritus humides*, *Poubelle*. Elle lui avait expliqué à deux reprises la différence entre poubelle et détritus, mais la distinction ne lui importait guère, et il l'oubliait toujours. La nuit dernière, elle lui avait parlé des cygnes dans le parc qui faisaient leurs nids avec de vieilles bottes et les emballages plastique des packs de bière. « Ils pondent leurs œufs dans les détritus », avait-elle dit. Puis elle lui avait demandé de se montrer plus paternel envers John Spee, de s'intéresser à lui de manière amicale.

« C'est la fin des restes ? » demanda Hane. Dans son bureau à l'université il déjeunait très légèrement. Souvent il apportait juste un œuf dur qu'il salait avec précaution, le secouant au-dessus de la poubelle s'il avait mis trop de sel par erreur.

« Oui », dit Millie qui s'était levée de table. Elle prit la poêle et décolla à l'aide d'une cuillère la couche d'aliments durcis. « Et voilà, dit-elle, présentant le tout à Hane. Ouvre la bouche. »

Hane la gronda. « Voyons, Millie.

– Juste une dernière cuillerée. Demain je cuisine frais. »

Hane ouvrit la bouche, et Millie le nourrit avec précaution parce que la cuillère était grande.

Après quoi ils allèrent s'asseoir tous les deux dans le salon et Hane lut un passage des Thessaloniciens à voix haute. Millie fixait les figurines comme l'aurait fait un enfant, le clown et la ballerine, et pensa à Arielle qui voyageait à l'étranger et rencontrait des gens. Qu'est-ce que ce doit être d'être jeune aujourd'hui, avec toutes ces opportunités qui s'offrent à vous ! Une fois au cours du semestre dernier, avant qu'elle ne parte pour l'Angleterre, Arielle avait dit : « Tu sais, maman, il y a une fille dans mon cours qui a exactement le même nom que toi : Mildred Keegan. La même orthographe.

– Vraiment ? » s'était exclamée Millie. Son visage s'était éclairé. Voilà qui était intéressant.

Mais Arielle fut frappée par une seconde pensée. « Ouais. Seulement… eh bien, en fait, elle a raté l'examen la semaine dernière. » Arielle s'était mise à rire et s'était levée pour quitter la pièce.

À neuf heures, après avoir enlevé les étiquettes d'un assortiment de boîtes en métal qu'elle rinça et empila, Millie alla chercher John Spee à la gare.

« Alors, qu'est-ce que vous avez fait en ville ? » demanda Millie en s'arrêtant à un feu rouge et en jetant un coup d'œil au garçon. Elle avait quitté la maison en vitesse et maintenant, en se regardant dans le rétroviseur, elle essayait de discipliner les mèches qui tombaient sur son front. « Vous avez vu une pièce ? J'ai entendu dire qu'il y en avait de très drôles. » Millie adorait le théâtre, mais Hane pas tellement.

« Non, j'avais pas envie d'être dans la dèche pour une pièce. » Il prononçait *piesseu*.

« Oh », dit Millie. Elle fronça légèrement les sourcils. Dans la dèche. Arielle utilisait cette expression dont elle lui avait une fois expliqué le sens, impatiemment. *T'as pigé ?* « Est-ce que vous êtes allé à Battery Park pour voir la statue de la Liberté ? Elle est tellement belle depuis qu'ils l'ont rénovée.» Non pas que Millie elle-même l'ait vue, mais c'était dans tous les magazines, et sur les photos la statue avait quelque chose de mystique et de majestueux.

Le feu passa au vert, et elle tourna au coin de la rue. La nuit, cette partie du New Jersey pouvait passer pour tranquille et propre, aussi charmante qu'une ville de province.

«Je me suis simplement baladé au milieu des gratte-ciel», répondit John en regardant par la vitre le petit quartier d'affaires de Terracebrook plongé dans l'obscurité. «Je suis monté en haut de l'Empire State Building, puis je suis descendu et puis je suis remonté.

– Vous y êtes allé deux fois.

– Deux fois, ouais, deux fois.

– Eh bien, c'est merveilleux!» s'exclama Millie. Et quand elle s'engagea dans l'allée du garage, elle s'exclama à nouveau: «Eh bien, c'est merveilleux!»

«Alors, comment avez-vous trouvé la ville?» mugit Hane qui essayait de mettre le garçon à l'aise avec tant de gaucherie qu'il lui cria un peu dessus. Il se leva de son siège avec entrain mais courbaturé, et ses articulations craquèrent car il était resté assis à lire toute la soirée.

«Intéressante, merci», dit John, qui se dirigea immédiatement vers sa chambre.

Millie lança un regard inquiet à son mari, puis alla frapper à sa chambre. «John, est-ce que vous aimeriez manger quelque chose? J'ai une boîte de soupe ainsi que du pain et du fromage pour vous faire un sandwich.

– Non merci», lui répondit John à travers la porte. Il sembla à Millie qu'elle l'entendait pleurer – ou bien est-ce qu'elle se trompait ? Elle rejoignit Hane dans le salon, il haussa les épaules, soucieux, impuissant, confus. Il la regarda sans rien dire, comme s'il espérait un mot de réconfort.

Millie haussa les épaules à son tour et passa près de lui pour aller dans la cuisine. Hane la suivit et resta sur le pas de la porte.

« Je suppose que je ne suis pas le genre de personne qu'il lui faut, dit-il. Je ne suis pas chaleureux de nature. C'est de chaleur humaine dont il a besoin. » Hane enleva ses lunettes et les nettoya avec un pan de sa chemise.

« Tu es une montagne d'excuses, dit Millie en l'embrassant sur la joue. Tiens. Écrase ça. » Elle se pencha en avant et déposa une boîte de conserve rincée et sans étiquette près de sa chaussure. Hane souleva son pied et l'écrasa à grand bruit.

Le lendemain matin était un vendredi, et John Spee voulait à nouveau aller en ville. Millie le conduisit à la gare pour qu'il attrape le train de 10 heures 02. « Amusez-vous bien, lui dit-elle sur le quai. Je viendrai vous chercher ce soir à neuf heures. » Tandis que le train entrait en gare, crachant et assourdissant, elle lui rappela encore une fois qu'il pouvait trouver des billets à moitié prix dans certains théâtres de Broadway.

De retour à la maison, Millie sortit l'aspirateur et entreprit de faire le ménage. Hane, qui ne travaillait pas le vendredi, était assis dans le salon où il faisait des mots croisés. Millie passa l'aspirateur autour de lui. « Lève les pieds », dit-elle.

Dans la petite chambre qu'occupait John Spee elle passa l'aspirateur sur le rebord de la fenêtre, le passa même au plafond, avant d'être obligée de s'arrêter.

Le sol était encombré de boîtes d'allumettes de cafés grecs et de prospectus distribués dans la rue : *Eddie – « Live » ; Filles en folie ; Moins 20 % sur le menu spécial jusqu'à Pâques.* Les caleçons avaient été jetés par terre, et il y avait des chaussettes sur un coin du bureau.

Millie commença à nettoyer le dessus du bureau. Il fut un temps où elle avait ici le Q.G. de son entreprise, et maintenant, regardez-moi ça. Millie ramassa les chaussettes et remarqua un cahier à spirales. Il ressemblait un peu à celui qu'elle utilisait pour son cours par correspondance, dans le même ton de bleu, et elle l'ouvrit pour voir.

Sur la première page était écrit : *Les dingues que j'ai rencontrés en Amérique.* En dessous il y avait une liste.

> *1. Oriental en costume d'affaires attendant sur un quai de métro. Crie.*
> *2. Femme dans un parc promenant un chien. Ordonne au chien de marcher comme une dame.*
> *3. Dans un café, femme avec de la nourriture qui déborde de sa bouche. Engueule la fourchette.*

Millie referma rapidement le cahier. Elle avait peur de continuer sa lecture, peur de découvrir ce que serait le numéro quatre ou le numéro cinq. Elle chassa le cahier de son esprit, s'éloigna du bureau, débrancha l'aspirateur, enroula le fil. Puis elle ramassa sous le lit les habits roulés en boule, et pensa à nouveau à son entreprise. Elle avait espéré la diriger de cette même chambre. À présent elle la voyait revenir en rampant – sa pauvre petite affaire ! –, ressemblant davantage à une blanchisserie. Elle avait souhaité des détritus et elle récoltait à la place de la lessive. « Ah ! » Elle éclata de rire.

« Qu'est-ce qui se passe ? » cria Hane qui faisait toujours les mots croisés dans le salon.

« Rien. Je vais lancer une machine pour John. » Elle descendit dans la buanderie encombrée de paniers de chiffons recyclables, de boîtes de détergent biodégradable, de cartons de bouteilles que l'on avait trempées dans l'eau pour en retirer les étiquettes, de sacs de papier alu et de boîtes en métal. C'était la pièce d'une seule femme, un bureau en un sens : une prise de position contre le monde. Ou pour *soutenir* le monde. Définitivement pour *soutenir* le monde.

Millie alluma la radio qu'elle gardait posée sur le sèche-linge. Il y eut deux messages publicitaires, puis ce furent les nouvelles : la péniche poubelle revenait de Louisiane. « Je parierais fort que dans cette poubelle il y a beaucoup de détritus », dit-elle à voix haute. Voilà quelle était sa distinction entre déchets et détritus, telle qu'elle l'avait expliquée à Hane : les déchets étaient humides, en voie de décomposition et il fallait les remuer. Les détritus étaient plus élégants et composés de papiers recyclés. Les déchets, on pouvait les brûler pour en faire de l'essence, mais les détritus, on pouvait les transformer pour les remettre sur le marché. Transfigurés ! Des Kleenex à partir de papier bon marché et recyclé – une idée certainement viable, et sur laquelle elle avait voulu mettre l'accent, mais peut-être ne l'avait-elle pas assez soulignée dans sa brochure de présentation. Peut-être que les gens avaient pensé qu'elle parlait de déchets alors qu'elle parlait de détritus. Ou vice versa. Peut-être que personne n'avait rien compris. Et elle avait négligé de valoriser sa meilleure idée, celle de la publicité subliminale dans les séries télévisées. On aurait pu y voir des personnages racontant leurs maladies et leurs liaisons en même temps qu'ils enlèveraient les étiquettes des boîtes de conserve et amasseraient des journaux. Elle était sûre que certaines chaînes télévisées auraient été prêtes à relever le défi.

Elle tourna le bouton de la machine à laver sur *Délicat* et l'enfonça. De l'eau chaude se précipita dans la machine en cascade, comme un voyage de noces recyclé, le même encore et encore.

Quand Millie ramena John de la gare, il lui parla à nouveau des gratte-ciel.

« Je suppose que vous n'avez pas eu l'occasion d'aller au théâtre, alors », dit Millie, mais il ne sembla pas l'avoir entendue.

« J'y r'tourne demain pour regarder encore », dit-il. Il réussit à allumer son briquet au bout de plusieurs tentatives. Il fumait nerveusement. « Y a des bagnoles super là-bas aussi.

– Eh bien, c'est merveilleux », dit Millie. Mais quand elle le regarda, elle remarqua que la grisaille s'était installée sur son visage. La vie semblait se détacher de John, flottant autour de lui comme un chemisier. La vie était tout à fait capable de ce genre de choses. Millie pensa aux gens du quartier auxquels elle pourrait le présenter. Il y avait un garçon d'environ vingt-deux ans qui habitait plus bas dans la rue. Il travaillait dans une pépinière et avait l'air sympathique.

« Il y a quelqu'un dans la rue à qui j'aimerais vous présenter, dit-elle. C'est un garçon qui a à peu près votre âge. Je crois qu'il vous plaira.

– Je n'ai pas vraiment envie de rencontrer du monde, dit-il. Il prononçait *rincontrer.* À moins que j'y sois *oblidgé.*

– Oh non, vous n'êtes pas *oblidgé.* » Parfois elle se prenait les pieds dans son accent. Elle espérait qu'il se sentirait moins dépaysé.

Le lendemain matin elle le conduisit à nouveau à la gare pour le train de 10 heures 02. « Je commence à apprécier cette petite sortie quotidienne », dit-elle. Elle sourit, sincère. Elle passa son bras derrière le garçon, et cette fois-ci il lui rendit sa bise.

À minuit, Arielle appela d'Europe. Elle voyageait à travers le Continent – les étudiants anglais avaient un mois de vacances à Pâques, et elle était partie visiter la France et l'Italie, d'où elle leur téléphonait.

« Venise ! s'exclama Millie. Comme c'est merveilleux !

– C'est formidable, ma chérie », dit Hane qui écoutait sur la deuxième ligne, dans la chambre. Il n'aimait pas beaucoup voyager, mais ça nc le dérangeait pas que les autres le fassent.

« Bien sûr, dit Arielle, on a l'illusion ici d'être séparé des déchets, on a l'impression que l'eau et la nourriture n'ont rien à voir avec les égouts du canal. C'est une illusion qu'il faut maintenir à tout prix. Un passeport psychologique. »

Un passeport psychologique ! Sa fille parlait si bien à présent ! Les enfants devenaient si différents de leurs parents. « Et la nourriture ? demanda Millie. Est-ce que tu manges beaucoup de raviolis ?

– De la nourriture de marécage. Du cresson et des poissons foncés.

– Oh, ça donne tellement envie, dit Millie. Imagine-toi, Hane, Venise, l'Italie.

– Comment va John Spee ? » demanda Arielle. Souvent quand elle téléphonait à ses parents, chacun prenait l'appel sur un poste différent et ils conversaient à trois, tout simplement. Ils discutaient des problèmes d'argent et de leurs défauts réciproques avec une férocité qu'ils n'auraient jamais osée s'ils s'étaient trouvés dans la même pièce.

« Bien, dit Millie. John est sorti faire le tour du quartier, même s'il est tard.

– Ah bon ? Quelle heure est-il ?

– Un peu plus de minuit », dit Hane. Il était en pyjama, sous les couvertures.

« Mince, j'ai mal calculé l'heure. J'espère que je ne vous ai pas réveillés.

– Bien sûr que non, ma chérie, lui dit Millie. Tu appelles quand tu veux.

– Donc il est minuit et John Spee se balade dans ce quartier de banlieue déprimant ? C'est effrayant. » La voix d'Arielle était couverte de grésillements mais restait audible. La psalmodie sans suite de ses mots s'enfonçait dans Millie comme une lame aiguisée et rouillée. « Il est seul ?

– Oui, dit Millie. Probablement qu'il voulait respirer un peu d'air frais. Il a passé toutes ses journées en ville. Il n'arrête pas de monter en haut de l'Empire State Building, et puis il se promène pour voir d'autres gratte-ciel. Et les voitures. Il n'a pas été au théâtre ni ailleurs. »

Il y eut un silence. Hane se racla la gorge et dit : « Je suppose que je ne suis pas la personne qu'il lui faut. Il a probablement besoin d'un homme qui sache y faire avec les enfants. Quelqu'un de sportif peut-être.

– Parle-nous de l'Italie, ma chérie », l'interrompit Millie. Elle imaginait que l'Italie ressemblait à la Floride, toute en couleurs et en lumière, mais avec une ruine splendide ici et là, et de grands hommes de pierre nus et coiffés de merveilleux pigeons. Peut-être qu'on y jouait des pièces.

« C'est super, dit Arielle, et difficile à décrire. »

À minuit et quart ils raccrochèrent. Parce qu'il devait lire les Écritures le lendemain à l'église, Hane s'endormit aussitôt. Mais Millie était agitée et parcourut la maison de long en large, en attendant le retour de John. Elle pensa à nouveau à Arielle, à combien l'approbation de sa fille lui était devenue importante, et se demanda comment les enfants pouvaient acquérir un tel pouvoir. La semaine avant le départ d'Arielle pour l'Angleterre, elles étaient allées au cinéma ensemble. C'était quelque chose qu'elles n'avaient pas fait depuis qu'Arielle était petite, et Millie s'en réjouissait comme s'il s'agissait d'une soirée en ville. Mais durant le générique de début, Millie avait commencé à parler. Elle raconta à Arielle qu'elle connaissait un ancien éboueur qui réalisait maintenant des vidéos d'entreprise pour différentes compagnies. Il avait suivi des cours par correspondance.

« Maman, tu parles trop fort », avait sifflé Arielle dans l'obscurité de la salle. Arielle avait pressé son index sur ses lèvres et lui avait fait « chut », comme si elle s'adressait à une enfant. Le film avait commencé, et Millie avait tourné la tête, le cœur gros, le visage renfrogné, la main sur les yeux pour se cacher de sa fille. Elle avait essayé de se concentrer sur le film, les sons et les voix, mais ils lui semblaient venir de loin, de fonds sous-marins. Quand ensuite au restaurant Arielle voulut discuter du film, selon sa manière habituelle

– une discussion *intellectuelle* comme un cours de fac – Millie s'était contentée de hocher la tête et de hausser les épaules. De temps à autre, elle avait essayé de sourire à sa fille en disant : « Oh, je suis d'accord avec toi là-dessus », mais le sourire vacillait, et Arielle l'avait observée, perdue, comme si sa propre mère était une imbécile qui l'aurait suivie au cinéma dans l'attente d'un mot gentil, ou d'un peu d'argent.

Millie regarda par la fenêtre de la chambre d'amis – la chambre de John Spee – vers l'obscurité où elle apercevrait peut-être le garçon en train de faire le tour de la maison ou bien de shooter dans un caillou le long de la rue. La lune était pleine, un hublot de soleil, et Millie n'aurait pas été autrement surprise de trouver John assis sur les marches d'une maison qui ne serait pas la leur, les genoux pressés contre les douces protubérances de ses yeux. Comme l'Amérique doit paraître décevante ! Déambuler dans les rues d'une ville qui n'est pas la vôtre, une ville qui vous tourne le dos, être un étranger qui débarque ici, et dont l'imagination est tout d'un coup déçue. Comment cela ne vous briserait-il pas le cœur ? Mais elle se prit à penser que John avait peut-être rêvé de cet endroit si longtemps et avec tant d'ardeur, qu'il en avait annulé l'existence à force d'espérer. Il est probable qu'aucun endroit au monde ne pouvait résister à un tel assaut d'espoir.

Millie s'éloigna de la fenêtre et ouvrit à nouveau le cahier bleu posé sur le bureau.

Autres fous que j'ai rencontrés en Amérique (plus qu'ailleurs).
11. Femme avec des vers blancs sur les jambes. Les enlève d'une chiquenaude.

12. Fille sur les marches d'une bibliothèque, la marche est sa maison. Peigne, miroir, brosse à dents avec quelque chose écrasé sur les poils durs, tout ça étalé sur la marche qui fait office de dessus de commode. Pas de dents. Crie.
13. Homme en train de trébucher. Bras croisés sur sa poitrine. Me rentre dedans sans ménagement. Me rentre dedans avec de la haine dans le regard. Je pense : « Ce type me hait, pourquoi est-ce qu'il me hait ? » Ça pue. Je cours un peu jusqu'à ce que j'aie pris mes distances.

La porte d'entrée grinça en s'ouvrant et se referma dans un bruit sourd. Millie posa le cahier et partit dans le salon vêtue seulement de sa chemise de nuit. Elle voulait souhaiter une bonne nuit à John et s'assurer qu'il ferme bien la porte à clé.

Il sembla surpris de la voir. « Je vais m'effondrer comme une masse », dit-il. Une expression qu'il avait probablement entendu Arielle utiliser un jour. C'était quelque chose qu'elle aimait dire.

« Arielle a téléphoné pendant que vous étiez sorti. » Elle croisa ses bras sur sa poitrine pour la cacher, redoutant que sa chemise de nuit soit transparente.

« Ah bon ? » Le visage de John sembla s'éclairer et s'affaisser dans un même temps. Il passa une main à travers ses cheveux et des mèches retombèrent en travers de sa raie en un zigzag orangé. « Elle revient bientôt, n'est-ce pas ? » Millie se rendit compte que John ne connaissait pas bien Arielle.

« Non, elle voyage sur le Continent. C'est comme ça qu'Arielle dit : *le Continent*. Mais elle a demandé de vos nouvelles et vous envoie son bonjour. »

John détourna le regard, accrocha son manteau dans la penderie de l'entrée, à côté de la casquette de base-ball qu'il n'avait pas portée une seule fois depuis son arrivée. « Je croyais qu'elle rentrait bientôt. » Il ne pouvait pas regarder Millie dans les yeux. Quelque chose s'enfonçait en lui, comme une pierre.

« Vous voulez un lait chaud ? » lui demanda Millie. Elle regarda dans la direction dans laquelle John regardait : les photos d'Arielle. L'année de son bac, pleine d'innocence formelle, mensonges encadrés, mignonne. Il semblait maintenant à Millie qu'Arielle était *trop* jolie, qu'elle était insensible aux autres, et qu'elle faisait du mal aux gens.

« Je vais aller me coucher, merci, répondit John.

– J'ai mis vos vêtements propres et pliés au pied du lit.

– Merci beaucoup. » Il l'effleura en passant près d'elle et s'excusa. « Vraiment désolé », lança-t-il en s'éloignant à petits pas.

« Peut-être que nous pourrions tous aller à New York la semaine prochaine », bafouilla-t-elle. Elle s'adressa à sa colonne vertébrale, en espérant le retenir. Il s'arrêta et se retourna. « On pourrait manger au restaurant, continua-t-elle. Et suivre une visite guidée des Nations unies. » Elle avait vu des cartes postales illustrées des drapeaux qui ondulaient devant le bâtiment comme des draps ; toute cette lessive internationale ! Mais elle n'y avait jamais été.

« D'accord » dit John. Il souriait. Puis il tourna les talons et longea le couloir, essayant une pièce après l'autre, laissant Millie derrière lui, de la manière dont on abandonne quelqu'un une fois que l'on a pris une décision une bonne fois pour toutes.

Le lendemain matin il y avait juste un mot et un cadeau. « Merci de m'avoir hébergé. J'ai décidé de prendre le bus pour la Californie tôt ce matin. Ne me croyez pas impoli, je vous en prie. Sincèrement vôtre, John Spee. »

Millie laissa échapper un petit cri d'effarement. « Hane, le gamin est parti ! » Hane s'habillait pour l'église et il sortit de la chambre. Il était en chemise et caleçon, et nouait sa cravate. Mais il s'arrêta, comme si un fantôme jadis banni de la maison était revenu. Il souhaitait lire ce matin un extrait du troisième chapitre de Saint Jean, et certaines phrases sautaient en tous sens dans sa tête, comme si elles n'avaient ni queue ni tête, ou comme une mélopée. Car Dieu a tant aimé le monde… John Spee était parti. Hane posa la main sur l'épaule de Millie. Que pouvait-il lui dire ? Car Dieu a tant aimé le monde ? Il n'y croyait pas vraiment, en tout cas pas de la manière dont la plupart des gens comprenaient le mot *amour*. L'amour, ici, était une métaphore. Mais de quoi, il l'ignorait.

« Oh, j'espère qu'il n'aura pas de problèmes », dit Millie, et elle se mit à sangloter. Elle s'emmitoufla dans sa robe de chambre et posa une main sur ses lèvres pour cacher leur tremblement. C'était terrible de perdre un garçon. Les filles s'en sortaient toujours, mais les garçons partaient de par le monde en boitant, n'ayant pas la moindre idée de ce qui les attendait, et ils ne revenaient jamais.

Un mois plus tard, Millie et Hane apprirent par Arielle que John Spee était rentré en Angleterre. Il avait pris à New York le bus pour Los Angeles, en était descendu, s'était promené pendant quelques heures, et puis y était remonté et avait voyagé six jours non stop pour rejoindre l'aéroport de Newark. Il voulait voir San Francisco, mais un homme dans l'autobus lui avait dit de ne pas y aller, que là-bas tout le monde était en train de mourir. Alors John avait fait le voyage jusqu'à Los Angeles. Son séjour avait duré trois heures. *Tu imagines ?* avait écrit Arielle. Elle était de retour dans le Warwickshire, et John venait parfois lui rendre visite alors qu'elle était très occupée.

Le cadeau de John se trouvait être un grille-pain – un grand grille-pain qui pouvait griller quatre tranches en même temps. Elle n'avait pas vu le garçon entrer dans la maison avec un paquet de cette taille, et elle se demandait bien quand et où il l'avait acheté.

« Quatre tranches, dit-elle à Hane, qui ne mangeait pas souvent de pain. Qu'est-ce qu'on va faire d'un truc pareil ? »

En mai et en juin, Millie avait pris l'habitude de se blottir le soir contre Hane, une main sur la hanche de son mari, la tête remplie des odeurs de sa peau. L'été tapait aux moustiquaires de la chambre, bruits de la nuit, et Millie était allongée et éveillée, n'ayant absolument pas sommeil. « Oh ! » disait-elle parfois à voix haute, sans raison apparente. Hane continuait à parler du Jésus historique. Millie lui frottait les tempes pendant qu'il dissertait, la paume de sa main contre ses cheveux secs et grisonnants. Il lui arrivait d'évoquer la péniche poubelle qui était maintenant amarrée à Coney Island et était devenue une attraction ratée et dénuée d'intérêt.

« Peut-être », dit-elle une fois à Hane, puis elle s'arrêta, la joue posée sur son épaule. Voilà comment un grain de peau familier jaillissait dans le monde de l'étrange ; il était vôtre, envers et contre tout. « Peut-être qu'on pourrait aller quelque part, un jour. »

Hane s'approcha d'elle, à la fois banal et séduisant sans ses lunettes. Dehors les lampadaires émettaient une lumière d'un vert pâle, et la lune brillait, laineuse et mutilée. Hane regarda sa femme. Elle avait le visage rond et desséché d'une personne qui, autrefois – lors d'un automne il y a bien longtemps, peut-être était-ce un week-end – avait été brièvement jolie sans même le savoir. « Tu es ma seule amie », lui dit-il, et il l'embrassa brutalement sur le sourcil, comme pour l'encourager à rester près de lui.

Le chasseur juif

L'histoire se passait dans un pays lointain. On y trouvait des endroits où faire du sport, mais on pouvait faire une croix sur les cafés et l'ironie. Les gens prenaient les choses à la lettre mais ne prenaient pas de drogues. Laird, qui voulait la brancher avec ce type, la prévint pendant le cours de gym. « Écoute, Odette, tu es poète. Tu es dans le milieu depuis combien de temps – vingt ans ?

– Quinze seulement, je t'assure. » Elle venait d'avoir quarante ans et lui lança un regard menaçant par-dessus son épaule. Elle avait une voix ménopausée à cause du whisky, une voix laissée en friche à cause du tabac. Il n'y avait plus d'octave intermédiaire, sa voix était basse, avec des croassements soudains vers l'aigu. « Je déteste cette expression, *le milieu*.

– Quinze ans. O.K. Ce type n'est pas du tout intello. C'est un avocat de campagne. De temps à autre il a pour client un exhibitionniste ou un tsigane du quartier yougo de Chicago, mais son sens artistique s'arrête là. Il travaille surtout avec des fermiers. Il ne saurait pas faire la différence entre, disons, T.S. Eliot et *Pinky* Eliot. Il n'a probablement jamais été à Minneapolis, et encore moins à New York.

– C'est qui, Pinky Eliot ? » lui demanda-t-elle. Ils étaient étendus côte à côte en train de faire ces exercices où il faut lancer ses bras entre ses jambes pliées dans le but de raffermir les muscles du ventre. La musique volontairement forte leur faisait oublier qu'ils ne connaissaient peut-être personne suffisamment bien dans cette salle pour s'exhiber ainsi devant eux. « C'est qui, ce Pinky Eliot ?

– Quelqu'un avec qui j'étais à l'école primaire, dit Laird, haletant. On racontait qu'il pesait plus que l'instit, ce qui n'était pas peu dire, crois-moi. » Laird avait un début de calvitie ; pendant le cours de gym le sang se précipitait vers sa tête, et il avait des mèches de cheveux qui bouclaient au-dessus de ses oreilles comme du bolduc. Il avait vécu dans cette ville jusqu'à ses dix ans, puis sa famille avait déménagé à l'Est, dans le New Jersey, où Odette l'avait rencontré pour la première fois, il y a des années de ça. Maintenant il était revenu, comme un saumon, pour élever ses deux enfants que lui et sa femme surnommaient Petit et Humide. « Écoute, c'est la cambrousse ici. Soit tu as Pinky Eliot, soit tu as le mec qui n'a jamais entendu parler ni de Pinky ni d'Eliot. »

Elle avait déjà vécu à la campagne. Pour pouvoir se payer son appartement à New York, elle avait souvent accepté les bourses offertes par les bibliothèques de province : six semaines et quatre mille dollars pour habiter dans la ville, écrire des poèmes impubliables et en donner une lecture à la bibliothèque. Le problème avec la cambrousse, c'est que jamais personne ne s'embrassait. On vous observait de haut en bas, c'était tout.

De temps à autre, malgré tout, vous réussissiez à vous faire embrasser.

Mais il vous fallait alors partir. Et au milieu des préparatifs de votre départ, d'ourlets défaits et de coutures déchirées, vous aviez l'impression d'être à la fois l'*Odyssée* et Pénélope. Votre cœur vous faisait tout drôle.

« O.K., dit-elle. Comment s'appelle-t-il ? »

Laird soupira. « Pinky Eliot, dit-il en poussant ses bras entre ses genoux. Avec cette présentation confuse, j'ai peur de t'avoir perdue. »

Pinky Eliot avait maigri, même s'il pesait certainement toujours plus que son instit. Il avait à peu près quarante-cinq ans et ses cheveux étaient encore noirs. Il n'était pas laid, il avait un nez de lutin et des yeux de chat. Son visage ressemblait quand même à un ballon de foot, son menton et ses joues formant une sphère blanche, avec une cicatrice grisonnante qui s'enroulait autour. Il avait également ce genre de moustache qui, selon une de ses copines de fac, donnait l'impression d'avoir grimpé au-dessus de la bouche pour trouver un endroit douillet où mourir.

Ils dînèrent dans le seul restaurant italien de la ville. Elle but deux verres de vin, et une chaleur apaisante se répandit en elle comme de l'essence de wintergreen. Un de ces jours, elle le savait, il lui faudrait arrêter les rendez-vous galants. Elle s'était entraînée à déclarer devant le miroir : « Je n'accepte plus aucun rendez-vous galant. Désolée. C'est terminé. »

« Les plats m'ont toujours bien plu ici », lui dit Pinky.

Elle regarda son visage rond et éprouva une once de pitié pour lui, et puis un peu pour elle aussi parce que, franchement, la nourriture n'était pas bonne : des pâtes fades que l'on faisait passer pour des tortellinis ;

des côtelettes panées farineuses, noyées dans une sauce tomate tristement orange et ratée. Le pauvre Pinky n'aurait pas su faire la différence entre une gousse d'ail et un Mars.

« Oui, dit-elle en essayant d'être gentille. Mais est-ce que vous croyez que c'est vraiment italien ? On a l'impression que les plats sont arrivés jusqu'aux îles Canaries puis sont tombés à la mer.

– Une snobinarde de la côte Est. » Il sourit. Sa voix avait la lenteur de la Prairie, l'épaisseur des Grands Lacs. « Habillée tout en noir et détestant le Midwest. Vous êtes juive ? »

Elle se hérissa. Un nazi. Un nazi bouseux qui n'y connaissait rien en gastronomie par-dessus le marché. « Non, je ne suis pas juive », lui répondit-elle malicieusement, le toisant du regard pour lui donner une bonne leçon. « Et *vous* ?

– Oui, dit-il. Il étudiait son regard.

– Oh.

– On n'est pas nombreux dans ce coin-ci du globe, c'est pour ça que je préférais demander.

– Oui. » Un peu gênée, elle éprouva un sentiment de perte, comme si quelque chose qui aurait dû être sien lui avait été enlevé, en toute légitimité, par la police. Ses yeux tombèrent sur ses mains qui s'étaient mises à bouger dans tous les sens, nerveusement, indépendamment, tels des petits rongeurs dans une cage. Le vin s'installa chaudement contre ses joues, et quand elle en précipita davantage dans sa bouche, le bord du verre tinta contre sa dent de devant qui était plus longue que les autres.

Pinky tendit son bras à travers la table et lui toucha les cheveux. Elle s'était fait faire une permanente la semaine d'avant, avec des tortillons qui ressemblaient à des nouilles chinoises. « Un peu de folklore local est toujours agréable, lui dit-il. Vous êtes quoi, méthodiste ? »

Pour leur deuxième rendez-vous, ils allèrent au cinéma. Le film parlait de créatures extraterrestres qui *habitent* des terriens et les obligent à dépenser d'énormes sommes avec leurs cartes de crédit. C'était une allégorie urbaine élaborée, désespérée, et Odette avait envie d'en discuter à la sortie. « Plutôt distrayant comme film », dit Pinky lentement. Il avait gigoté sur son siège pendant toute la séance et s'était levé deux fois pour aller boire. « Je vais juste à la fontaine à eau », lui avait-il chuchoté.

Et maintenant il voulait aller danser.

« Où est-ce qu'on *peut* aller danser ? » demanda Odette. Elle pensait encore au moment où les deux personnages principaux avaient échangé leurs radiocassettes et étaient tombés amoureux. Elle voulait que soit Pinky, soit elle, dise quelque chose d'intelligent et d'audacieux à propos de la réalisation ou des fonctions narratives du plan cinématographique. Mais de toute évidence, ni l'un ni l'autre n'allait se lancer.

« Il y a un endroit à une dizaine de kilomètres d'ici, dans le comté voisin. » Ils marchèrent vers le parking et il se pencha pour l'embrasser sur la joue – geste intime, prématuré, reliquat d'une liaison récente sans aucun doute – et elle rougit. Elle n'était pas douée en amour. Dans ce monde, il y avait des gens qui étaient doués pour l'amour, et d'autres qui ne l'étaient pas. Elle faisait partie des derniers. Il fut un temps où elle pensait qu'elle était douée, mais c'était l'intimité qui lui posait problème. Il fallait avoir les deux. L'amour sans l'intimité, elle le savait, était comme une chanson sans mélodie. Tout se passait dans votre tête. Vous disiez : « Écoute ça ! » Mais ce que vous vous retrouviez à chanter n'était rien d'autre qu'un méli-mélo informe et sans consistance. Ça lui rappelait un dîner auquel elle avait été conviée et où le dessert avait été servi dans des assiettes décorées avec des chansons françaises. Après le repas chaque invité avait chanté son assiette, mais la sienne était encore couverte de crème fouettée, et quand ce fut son tour, elle avait baragouiné les paroles, poussant la crème fouettée comme une folle avec sa fourchette pour déchiffrer la mesure suivante. Elle était aussi mauvaise en amour.

Pinky les conduisit à une dizaine de kilomètres au sud, dans un endroit qui s'appelait *Chez Humphrey Bogart*. C'était rustique et tout en bois, avec des poutres et une ancienne cabane de chasseurs à l'extérieur. Sur une estrade de fortune, un groupe de musique country jouait *Tequila Sunrise* avec quinze ans de retard, ou peut-être bien trop tôt. Comment savoir ? Pinky prit sa main et improvisa un boogie-woogie lent sur la ligne de basse. « Qu'est-ce que je fais maintenant ? » Odette continuait de parler à Pinky par-dessus la musique. « Qu'est-ce que je fais maintenant ?

– Ça », dit Pinky. Il avait la grâce indolente des gens qui ont été gros, et sa main au bas de son dos semblait grande et légère. Sous l'éclairage de la salle, sa cicatrice semblait avoir disparu, et son sourire transformait sa moustache en une ombre flatteuse. Odette, elle, avait toujours été mince et nerveuse.

« On ne danse pas beaucoup à New York, dit-elle.

– Non ? Vous faites quoi alors ?

– On, hum, on se contente de faire la queue devant les distributeurs de billets. »

Pinky se pencha vers elle, prit sa main fermement sur son épaule, et se balança. Il approcha sa bouche de son oreille. « Tu as une personnalité étonnante », lui souffla-t-il.

Le dimanche après-midi, Pinky l'emmena à la grotte des Nombreux Monts. « Ça va te plaire, lui assura-t-il.

– Merveilleux ! » lança-t-elle en montant dans sa voiture. Elle essayait d'adopter l'enthousiasme des gens du coin. Cela supposait une attitude positive et des paroles lancées sur une mélodie enjouée. *Ne trouvez-vous pas que le fond de l'air est frais ?* Elle portait des lunettes de soleil et un pull trop grand. « Je voulais te demander ce qu'était la grotte des Nombreux Monts, et puis je me suis dit, Odette, est-ce que tu as *vraiment* envie de savoir ? » Elle fouilla dans son sac à main. « Je veux dire, le nom fait plutôt penser à un bordel. Tu n'aurais pas une cigarette par hasard ? »

Pinky donna une petite tape sur ses lunettes de soleil. « Tu n'en auras pas besoin. Il fait noir dans la grotte. » Il démarra la voiture et s'engagea sur la route.

« Eh bien, fais-moi savoir quand on sera arrivés. » Elle regarda droit devant. « J'en déduis que tu n'as pas de cigarettes.

– Non, dit Pinky. Tu fumes ?

– De temps à autre. » Ils dépassèrent deux voitures d'un coup avec des cerfs sanguinolents attachés sur les toits, semblables à des couronnes, à des trophées, *à des femmes*, pensa-t-elle. « Salauds de chasseurs, murmura-t-elle.

– Tu fumes quoi ? Des Virginia Slims, la cigarette des femmes libérées ? » demanda Pinky avec une grimace.

Odette se tourna et regarda par-dessus ses lunettes le profil pâle de Pinky. « Non, je ne fume pas de *Virginia Slims*.

– Je parie que si. Je parie que tu fumes des Virginia Slims.

– Ouais, c'est ça, je fume des Virginia Slims », dit Odette en secouant la tête. Pour qui se prenait ce type ?

Une vingtaine de kilomètres plus au sud ils commencèrent à voir des panneaux annonçant la grotte des Nombreux Monts. GROTTE DES NOMBREUX MONTS 25 KILOMÈTRES. GROTTE DES NOMBREUX MONTS 20 KILOMÈTRES. À 10 kilomètres, Pinky gara la voiture sur le bas-côté. Il n'y avait que des arbres et, dans le lointain, une grange et une vache solitaire.

« Qu'est-ce qu'on fait là ? » lui demanda Odette.

Pinky mit la voiture au point mort mais laissa le moteur allumé. « Je veux t'embrasser maintenant, avant que nous entrions dans la grotte et que je perde complètement les pédales. » Il se tourna vers elle, et tout d'un coup son corps, immense dans sa veste, apparut au-dessus d'elle, en suspension tandis qu'elle se reculait contre la portière de la voiture. Il ferma les yeux et l'embrassa, longuement, lentement, et elle n'enleva pas ses lunettes de soleil de façon à pouvoir garder les yeux ouverts et à observer ses cils qui s'étaient fermés l'un sur l'autre semblables à des pétales, sa cicatrice blanche qui zigzaguait tranquillement le long de sa joue et de son menton, ses lèvres endormies pressées contre les siennes afin de s'y nicher et d'y rester, bougeant comme pour articuler des mots, mais en fait non, ses mains qui la caressaient doucement et dans un frémissement, qui descendaient le long de son pull jusqu'à sa taille nue et sa colonne vertébrale, puis s'installaient là, s'épanouissant pleinement, l'espace d'un instant, jusqu'à ce qu'il se dégage, reprenne ses esprits et redémarre.

Odette se redressa et regarda à travers le pare-brise. Pinky récupéra l'autoroute et accéléra.

« On ne fait pas ce genre de choses à New York », dit Odette d'une voix rauque. Elle se racla la gorge.

« Non ? » Pinky sourit et posa sa main sur sa cuisse.

« Non, c'est, hum, à cause des distributeurs de billets. On attend… on attend simplement son tour. Pour toujours. On passe toute sa vie – sa main fendit l'air – là. »

« Merci de ne pas toucher les formations », cria à tue-tête le guide. Le long du chemin humide qui traversait la grotte il y avait des lumières qui vous permettaient de voir les murs marbrés d'un rose doré, comme du cheddar au porto ; des saillies en forme de mamelons, des galeries sans issues, des artères partout, crayeuses et humides ; des stalactites et des stalagmites comme les défenses d'un morse, s'élevant du sol, pleines de désir, ou pendues au plafond et suintant en gouttes qui s'acheminaient lentement vers le sol. La grotte était en pleurs, tout y était mouillé et glissant ; des flaques stagnantes d'eau ocre bordaient le chemin qui descendait en spirales. « Le Guggenheim de la nature », murmura Odette, et parce que Pinky ne semblait pas comprendre, elle lui expliqua : « C'est un musée new-yorkais. » Ses lunettes de soleil étaient haut perchées sur sa tête. Elle regarda Pinky gaiement, et il lui sourit en retour comme s'il pensait qu'elle était mignonne mais plutôt extraterrestre dans son genre, un concept qui inspirerait bientôt un film à succès et plus tard une figurine.

« … La façon de se rappeler laquelle est quoi, disait le guide, c'est de se souvenir : tites tombent, mites montent…

– T'as compris ? » dit Pinky à voix haute en la poussant du coude. « Tétons tombent ? » Des gens se retournèrent pour regarder.

« Qu'est-ce que t'as ? T'es sourd ? demanda Odette.

– Un peu. De l'oreille droite.

– Nous allons à présent arriver devant la seule stalagmite de la grotte que les visiteurs aient le droit de toucher. Vous la trouverez sur votre droite et vous pourrez la tripoter à volonté.

– Hmmmmmmmm, dit Pinky.

– Franchement ! » s'indigna Odette. Elle observa les premières personnes du groupe qui s'était à présent rassemblé sans enthousiasme autour de la petite stalagmite trapue dont le sommet était devenu blanc à force d'avoir été touché. Ça avait à peu près autant d'attrait qu'une savonnette dans une station-service. « J'ai envie de retourner voir les aragonites.

– C'était quoi déjà ? lui demanda Pinky.

– Tous ces trucs qui ressemblaient à des brocolis en béton. Et puis j'aimerais revoir aussi la chapelle avec l'orgue. Enfin, on aurait dit un orgue.

– … Et maintenant, disait le guide, vous allez constater à quoi ressemble la grotte dans sa lumière naturelle. Il avança et éteignit la lumière. À présent vous ne devriez même pas voir votre main devant votre visage. »

Odette ouvrit grand les yeux puis les plissa, mais elle ne voyait toujours pas sa main devant elle. L'obscurité était épaisse et profonde. Pas une obscurité ombragée et dansante, mais l'opacité paralysante d'un cercueil. Il y avait quelque chose de féroce et d'éternel, quelque chose d'énigmatique et d'absolu, un secret dont il faudrait tenir éloignés les enfants.

« Je suis là, dit Pinky en se rapprochant, au cas où tu aurais besoin de moi. » Il plaça son bras autour d'elle et posa la main sur son épaule. Elle sentait son haleine chargée, l'odeur épicée de son cou près de son visage, et se blottit, aveugle et affamée, au creux de son bras. Elle parcourut à tâtons la laine de son pull qui grattait, à la recherche de sa main.

« Nous sommes capables d'imaginer à présent à quoi ressemblait la grotte quand les premiers explorateurs indiens y pénétrèrent. Elle existait depuis la nuit des temps, dans l'obscurité la plus complète, s'agrandissant peu à peu, s'ouvrant dans l'obscurité, la vie et la mer enfermées à l'intérieur et ne voyant jamais la lumière du jour, petite caverne humide qui s'est faite pendant un million d'années, s'ouvrant, s'ouvrant doucement de l'intérieur… »

Quand ils couchèrent ensemble pour la première fois, elle faillit pleurer. Il n'en finissait pas de l'embrasser. Ça lui sembla la chose la plus douce qui lui soit jamais arrivée. Il l'embrassa, lui murmura quelque chose, lui apporta un grand verre d'eau quand elle lui en demanda un.

« Quand est-ce que tu repars à New York ? » lui demanda-t-il ; et parce que c'était dans moins de quatre semaines, elle lui répondit : « Oh, il faut que je vérifie. »

Pinky sortit du lit. Il était nu et absolument pas pudique, beau d'une certaine manière avec ses courbes, la chute solide de ses reins. Il se dirigea vers le magnétoscope, fouilla parmi les cassettes dans l'obscurité, soulevant chacune d'elles devant la fenêtre d'où tombait une lumière pluvieuse et lunaire, comme dans un rêve ; il prit cassette après cassette jusqu'à ce qu'il trouve celle qu'il cherchait.

Le titre du film, *Les Survivants de l'Holocauste*, apparut en rouge sang sur l'écran de télévision, comme pour les avertir que ce n'était vraiment pas là sa place. « Je le regarde tout le temps », lui murmura Pinky. Il fixait un point droit devant lui dans une transe impassible, mais quand il tendit son bras pour le passer autour d'Odette, il sut exactement où elle était, derrière l'une de ses épaules, les draps serrés contre sa poitrine. « Tu ne devrais pas cacher tes seins », lui dit-il sans tourner la tête. Mais elle resta dans cette position, recroquevillée, aussi longtemps que dura le convoi jusqu'à Treblinka et aux portes d'Auschwitz. Le film s'attardait sur les mauvaises herbes et le vent, incrédule face à l'histoire de ces terres désolées, et semblait vouloir, emporté par la nausée et le regret peut-être, se transformer en documentaire sur la nature.

Par moments il semblait ne plus savoir quel était son propos, une confusion issue du fait qu'il ne le savait que trop.

Quelqu'un parlait des camions. Ils mettaient les gens dans les camions, avec le pot d'échappement tourné à l'intérieur, ils les baladaient jusqu'à ce qu'ils deviennent bleus, les gens étaient bleus, et on les sortait ensuite par une trappe au moyen d'une pelle. Derrière des fils barbelés, des asters étaient en train de sécher dans un champ.

Quand le film fut terminé, Pinky se tourna vers elle et soupira. « Dur dur. »

Dur dur ? Elle en eut le souffle coupé, puis sa respiration s'emballa et redevint difficile. *Qui donc avait le droit d'utiliser des mots pareils ?*

Qui donc ? Elle se sentait, et la gamme de ses sensations était large, ébahie d'avoir couché avec lui.

Ils sortirent à nouveau ensemble, mais cette fois-ci elle l'attendit devant chez lui, avec un sourire figé et une poignée de main, comme une femme désireuse d'arranger les choses en dehors du tribunal. « Tellement naturel, dit-il, debout sur le pas de la porte. Je ne sais pas. Vous êtes si guindés sur la côte Est.

– On a un cœur de pierre », lui lança-t-elle avec un accent qui n'en était pas un. Elle n'était pas douée pour les accents.

Quand ils couchèrent à nouveau ensemble, elle essaya de ne pas en faire tout un plat. Une fois de plus ils regardèrent *Les Survivants de l'Holocauste*, dans un ordre chronologique différent, la caméra cherchant toujours avec âpreté quelque chose dans la nature à filmer, embarrassée, tel un œil injecté de sang qui serait fatigué et effrayé par les gens et leurs actes. *Ils mirent le feu aux corps et aux baraquements*, dit une voix. *Les bûchers brûlèrent pendant plusieurs jours.*

Des vagues clapotaient. La pluie gouttait sur un jonc. Elle fit couler l'eau dans la salle de bains afin qu'il ne l'entende pas. Elle s'assit, malade, et fixa ses jambes, les jambes de sa mère. À quel moment avait-elle hérité des jambes de sa mère ? Quand elle revint se glisser dans son lit, il dormait comme un enfant, comme le font les hommes.

Le lendemain elle se leva tôt, alla dans ce qui se rapprochait le plus d'une épicerie fine, et revint triomphante avec des bagels et du saumon fumé. Dehors, la ville était aussi morte qu'un musée, mais le soleil donnait au ciel une couleur citron, et des bandes de lumière, des ovales d'un bleu lumineux, rayaient à présent les couvertures de Pinky. Elle apporta le petit déjeuner au lit et il roula vers elle pour l'embrasser, le visage cireux de sommeil. Il pointa du doigt le saumon fumé. « Tu aimes ce genre de truc ?

– Ouais. » Sa bouche était déjà remplie de ce rose frais et poisseux. « J'en mange sans arrêt. »

Il soupira et retomba sur son oreiller. « Après le petit déjeuner je t'apprendrai quelques mots de yiddish.

– J'en connais déjà quelques-uns. Je viens de New York. Tiens, goûte un peu ça.

– Je t'apprendrai *tush*, je t'apprendrai *shmuck.* » Pinky bâilla, puis grimaça. « Et *shiksa.*

– Toutes les choses qu'essaye un gentil garçon juif avant d'épouser une gentille fille juive, je les connais.

– Qu'est-ce qui ne va pas ? »

Elle refusa de le regarder. « Je ne sais pas.

– Je sais, moi », dit Pinky, et il se leva sur le lit, comme un enfant prêt à sauter, dominant la situation, nu, en érection. C'est tout juste si elle pouvait tourner la tête vers lui. Oh, un jonc perlé. Un train disparaissant dans un tunnel. « Tu es tombée amoureuse de moi ! » s'exclama-t-il en la regardant d'en haut avec joie. Elle avait encore son manteau, et elle avait arrêté de mastiquer. Elle leva les yeux vers lui, incrédule. Parfois, elle croyait qu'elle passait juste sa vie à essayer de s'amuser, et d'autres fois elle se rendait compte qu'elle était franchement paumée. Elle plissa les yeux. Puis elle ouvrit grand la bouche afin qu'il voie l'accident de train créé par le bagel et le saumon fumé mâchés.

« Ça me plaît, dit Pinky. Tu tiens un truc, là. »

Ses poèmes, comme elle l'écrivait à ses amis new-yorkais, n'avançaient pas : elle les avait mis au chaud et ils étaient tombés derrière la gazinière. Elle avait rencontré ce type. Quelque chose leur était arrivé à tous les deux dans une grotte, mais elle ne savait pas vraiment quoi. Il fallait qu'elle quitte la ville. Elle donnait une ultime lecture aux usagers de la bibliothèque dans moins de trois semaines, et ça s'arrêterait là. *J'espère que tu ne portes pas une de ces nouvelles robes du soir bouffantes que je vois dans les magazines. Elles feraient ressembler n'importe qui à une grosse brioche. Il fait froid. Je t'embrasse, Odette.*

Laird était curieux. Il n'arrêtait pas de tourner sa tête sur le côté durant les abdos. « Alors comme ça, toi et Pinky ça marche ?

– Qui sait ? dit Odette.

– Eh bien, tout le monde a eu ses difficultés dans la vie et je ne suis pas tellement au courant des siennes. J'ai pensé que tu le trouverais intéressant.

– Certainement, d'un point de vue anthropologique.

– Tu penses que c'est un gros bêta.

– Laird, on a plus de quarante ans. On ne peut plus utiliser ce genre d'expression. » Les exercices étaient de plus en plus difficiles. « Ce n'est pas un bêta. C'est une andouille. Peut-être même un crétin.

– Tu es dure, dit Laird.

– Mais non, plaida Odette en s'affalant sur le tapis de sol. Mais non, je t'assure. »

La nuit, il l'enlaçait d'une manière qui la touchait profondément. Il dormait avec une main au bas de son dos et l'autre posée sur sa tête, comme pour la protéger des mauvaises pensées. Ou, peut-être, des pensées quelles qu'elles soient… Les corps arrivaient à s'aimer si rapidement, se promettant l'un à l'autre pour toujours, sans demander la permission au cerveau ! Si seulement elle pouvait abandonner son fichu cerveau, laisser son cœur gonfler, s'enflammer, son cerveau prendre l'air des journées et des saisons entières, et écrire des contes pour enfants. Elle ouvrirait la bouche devant les gens réunis à la bibliothèque, et voilà ce qu'il en sortirait : *Il était une fois…* Quelqu'un se précipiterait vers une cabine pour appeler la police.

Mais peut-être que l'on *pouvait* vivre en dessous du cou. Peut-être que l'on *pouvait* vivre avec les vêtements qu'on souhaitait enlever, tous empilés par-dessus la tête, devant la figure ; pas seulement un pull avec le col trop étroit, mais tout ce qui se coincerait là – pantalons, chaussures et chaussettes –, un désordre farfelu sur les épaules, à la place de la tête, tandis que le corps, nu comme un ver, se préparerait à vivre le reste de sa vie dans la campagne profonde, la cambrousse, sur une bretelle d'autoroute, sous la pluie. Peut-être était-ce possible. Parce que quand elle dormait contre lui comme ça, le reste du monde se précipitait dans une valise sous le lit. C'était la fin du désir que d'avoir ça. *La voilà, la voilà.* Il s'enroulait autour d'elle, prenait sa tête comme celle d'un enfant dans sa main et lui soufflait des mots, dans la gorge, dans la poitrine, alors qu'il s'endormait. *Endors-toi, endors-toi avec moi.*

Le matin, elle réchauffait ses bras au-dessus des zinnias bleus des flammes du gaz et de l'eau qui chauffait pour le café et les œufs. Penchée au-dessus du journal, elle se prenait à penser qu'elle et Pinky étaient Béatrice et Bénédict, ou bien Nick et Nora Charles, ce qu'elle prétendait toujours quand elle avait une liaison, pendant quelques jours du moins, jusqu'à ce que la vérité la submerge.

« Pourquoi est-ce que tu parles toujours avec les mains ? lui demanda Pinky. Tu te crois juive ? »

Elle lui jeta un regard furieux. « Tu sais, c'est ce que je déteste le plus par ici. Tout le monde est tellement coincé. Si on utilise la moindre partie de son corps pendant qu'on parle, les gens pensent tout de suite qu'on s'entraîne pour Broadway.

– Embrasse-moi », dit-il, et il ferma les yeux.

En semaine, Pinky allait au bureau, pour travailler sur un énième dossier de faillite agricole ou un cas de maltraitance envers un animal. « Mes clients, disait-il avec lassitude, je t'assure que tu n'aurais pas envie de sortir au restaurant avec eux. Ils arrivent dans mon bureau en puant la bouse de vache, ils se balancent sur leurs chaises, sortent leurs ventres comme ça, et puis te parlent d'un salaud de la SPA qui leur a fait un sermon parce que leur chèvre avait des vers. » Un air tragique flottait sur son visage. « C'est triste de ne pas avoir de clients avec lesquels on puisse sortir au restaurant... » Il secoua la tête. « C'est triste, une chèvre qui a des vers. »

Il y avait quelque chose de gentil chez Pinky, mais ce quelque chose n'avait rien à voir avec Nick Charles. Pinky ressemblait davantage au frère grave et sérieux que Nick aurait pu avoir, Chuck. Chuck Charles. Quand on avait des parents qui vous avaient donné un nom pareil, plus rien n'était drôle.

« Ils parlent de quoi, tes poèmes ? lui demanda-t-il une fois au milieu de la nuit.

– De putes.

– De putes », répéta-t-il en hochant la tête dans l'obscurité.

Elle lui prêta des livres de poésie : Wordsworth, Whitman, tous les W. Quand elle lui demandait si ça lui avait plu, il lui répondait : « Assez. J'en suis à la page... » et puis il lui disait à quelle page il en était et combien de pages il avait réussi à lire ce jour-là. « Wadsworth est un peu trop littérateur pour moi.

– Wordsworth », le corrigea-t-elle. Ils étaient dans la cuisine en train de boire un jus de fruits.

« Wordsworth. Est-ce qu'il n'y a pas un poète qui s'appelle Wadsworth ?

– Non. Tu penses probablement à Longfellow. Wadsworth est son deuxième prénom.

– Longfellow. C'est qui celui-là ?

– Et *Feuilles d'herbe* ? Qu'est-ce que tu as pensé de ces poèmes ?

– Pas mal. J'en suis à la page cinquante », répondit-il. Puis il lui montra son fusil qu'il gardait dans un étui en cuir, comme un trombone. Il en gardait un autre dans la cave.

Odette fronça les sourcils. « Tu chasses ?

– Bien sûr. Les juifs ne sont pas supposés chasser, je sais. Mais dans ce coin-ci du pays c'est préférable d'avoir une arme ou deux. » Il sourit. « *Les Bavarois*, tu comprends. Tiens, essaye. Montre-moi à quoi tu ressembles avec un fusil.

– J'ai peur des fusils.

– Il n'y a pas de quoi avoir peur. Mets-le sur ton épaule, tout simplement, et regarde dans le haut du barillet, dans la ligne de mire. »

Elle soupira, leva le fusil, pressa fortement la crosse contre son épaule droite et visa la table de la cuisine. « Maintenant, tu vois l'entaille dans le métal qui sort au milieu du barillet ? lui demanda Pinky. Il faut que tu mettes le viseur au milieu de cette entaille. »

Elle ferma l'œil gauche. « Je sens monter le besoin de faire éclater cette planche à découper, lui dit-elle.

– Le fusil n'est pas chargé. Il ne le sera probablement pas avant le printemps. C'est la saison des dindes sauvages. Mais j'ai aussi le permis pour les daims.

– Tu chasses les dindes ? » Elle posa le fusil. Il était lourd.

« Tu manges bien de la dinde, non ?

– Les dindes que je mange sont élevées à la ferme. C'est pas la même chose. Elles savent ce qui les attend. » Elle soupira. « Qu'est-ce que tu fais, tu vas dans un champ et tu tires ?

– Si on veut. On essaye de les avoir en vol. Tu sais quoi, je devrais t'emmener chasser le daim. Ce sont les deux derniers jours ce week-end. Tu as déjà assisté à la chasse au daim ?

– *Tu plaisantes ?* » dit-elle.

L'air était vif dans les bois. Sa respiration faisait des nuages de buée, puis elle souffla des ronds de fumée de cigarette vers les fougères mortes. « C'est joli ici. Tu ne crois pas qu'on pourrait juste regarder la nature, au lieu de leur tirer dessus ?

– Sans la chasse, les cerfs mourraient de faim.

– Eh bien alors, on n'a qu'à leur faire la cuisine. » Ils avaient emporté une bouteille de Jim Beam, et elle l'ouvrit pour en prendre une rasade. « Tu as déjà été marié ?

– Une fois. Mon Dieu, il y a quoi, une vingtaine d'années. » Il épaula rapidement son fusil, croyant avoir entendu quelque chose, mais non.

« Ah bon. Je n'avais pas l'intention de poser la question, mais puisque tu n'en as jamais parlé, j'ai pensé que je te demanderais.

– Et toi ?

– Moi, non », dit Odette. Elle avait écrit un poème sur le mariage. Ça commençait par : *Le mariage est la mort que vous souhaitez*, et elle ne l'avait jamais lu avec beaucoup de conviction en public. En général, elle balançait son pied d'avant en arrière tout du long.

Elle baissa les yeux sur sa poitrine. « Je ne pense pas que l'orange soit la couleur la plus flatteuse pour qui que ce soit. » Ils portaient des chapeaux et des gilets orange pétard. « Je crois qu'on ressemble à ces machins que l'on met au milieu de la route pour forcer les voitures à les contourner.

– Chuuuut », dit Pinky.

Elle prit une autre rasade de whisky. Elle avait mis le genre de bottes qu'il ne fallait pas – grises, en daim justement, des cuissardes avec des talons de cinq centimètres – et maintenant elle les étudiait avec beaucoup d'intérêt. Un des talons était branlant et il y avait de la boue qui séchait sur le devant. « Rappelle-moi, murmura-t-elle à Pinky, ce qui nous permet de penser qu'on va croiser un cerf ?

– Il y a la couche d'une biche pas loin d'ici, chuchota Pinky. Ça attire les mâles.

– Les mâles, le lit… Encore heureux qu'on puisse tout ramener au sexe.

– Durant la saison des amours, la biche se construit une couche, et puis elle urine tout autour. C'est comme ça qu'elle attire son compagnon.

– Alors, c'était donc *ça*, murmura Odette. Et moi qui faisais toujours pipi au lit. »

Le fusil de Pinky fit feu soudainement vers les arbres, et le bruit remplit les bois comme une guerre, faisant tomber sur le sol les aiguilles jaunissantes d'un mélèze.

« Ahhhhhh ! cria Odette. Qu'est-ce qui se passe ? » Les fusils n'étaient pas un truc de filles, ça lui revenait à présent. C'était pour les garçons. Ils avaient d'ailleurs été inventés *par* les garçons. Ils avaient été inventés par des garçons qui ne s'étaient jamais remis de leur déception face à l'absence d'un grand *boum* pour accompagner leur orgasme. « Mais qu'est-ce que tu fous ?

– Bordel ! cria Pinky. Je l'ai loupé ! » Il se leva et s'enfonça dans les buissons.

« Oh, mon Dieu ! » pleura Odette, et elle trébucha derrière lui, cassant les mêmes brindilles sous ses pieds, plongeant sous les mêmes fils de fer barbelés. « On va où ?

– Le cerf est juste blessé, cria Pinky par-dessus son épaule. Il faut que je le tue.

– C'est vraiment indispensable ?

– Ne parle pas si fort.

– Va te faire foutre. Je vais aller t'attendre là où on était », mais il y eut le bruit d'une bête aux abois venant d'un buisson derrière elle, et le cerf sanguinolent s'élança dans un galop lugubre, sa cuisse portant une blessure cramoisie. Pinky épaula son fusil et tira, touchant le cerf au cou. L'air trembla dans un écho et les feuilles d'un marronnier tombèrent. Les pattes du cerf se dérobèrent sous lui, et quand il s'effondra, mort, sur un mûrier, ses yeux ne clignèrent pas une seule fois mais restèrent ouverts et profonds, aussi noirs que l'espace.

« Je vais laisser les entrailles pour les rapaces », dit Pinky à Odette, mais elle n'était plus là.

* * *

Oh, les femmes descendent de l'Hôtel Pepsi
Leur foyer n'a pas d'autre nom qu'un mélange de pubs cola : Pepsi-Cola l'hôtel Buvez Pepsi

Seuls quelques-uns des poèmes d'Odette sur les prostituées rimaient – ceux qu'elle avait écrits récemment – et peut-être que les gens qui viendraient l'écouter à la bibliothèque les préféreraient, aimeraient anticiper, savoir à quoi *ressemblerait* le mot suivant à défaut de savoir ce qu'il *serait* ; strophe après strophe, ce serait un mélange de réconfort et de surprise qu'un public apprécierait certainement.

L'association de la bibliothèque de la ville avait installé un lutrin près des fenêtres de la salle des archives et avait placé les chaises en rangées pour quatre-vingts personnes environ. Il faisait frais dans la pièce, et le nombre de gens était effrayant. Quand Odette lut, elle essaya de regarder au-delà des visages, vers les atlas et les dictionnaires biographiques. Elle serrait le col de son pull et le remontait sur son menton entre chaque poème. Elle essaya de s'imaginer que toutes ces têtes n'étaient rien d'autre que des petits épis de maïs, un truc que lui avait appris un prof de danse quand elle avait sept ans et qu'elle et les autres élèves avaient dû danser devant les parents.

Elles descendent vers les routiers
ou bien est-ce les routiers qui montent
dans les pièces aux rideaux étrangement mis
Ils viennent voir les prostituées
sinon ils ont honte
dans l'Hôtel Pepsi Buvez Pepsi.

La pièce était silencieuse. Une porte grinça en s'ouvrant et se referma dans un bruit sourd. Odette leva les yeux et vit Pinky au fond, marchant sur la pointe des pieds vers une chaise libre. Cela faisait une semaine qu'elle ne l'avait pas vu et elle ne lui avait pas parlé non plus. Deux femmes âgées, assises devant, se retournèrent pour le dévisager.

Oh, mon amour, soupirent-ils ;
Oh, mon amour, disent-ils,
Il y a des petites choses à donner et à vendre
Et le Paradis nous attend
Alors travailler peut être un jeu au...

Il y avait d'autres strophes, trop, et elle se dépêcha de les lire. Elle avala une gorgée d'eau et lut un poème intitulé « Mal Dormir ». *Elle dormit mal la nuit dernière*, ça commençait comme ça, *et voilà pourquoi elle se tenait la tête ainsi, folle de solitude, encore plus folle quand il lui fallait parler.* Elle lut ensuite un autre long poème intitulé « Une fille qui a attrapé la diphtérie perd la tête ». Elle balaya l'assistance du regard. Le public la dévisageait en plissant les yeux, leur glycémie en baisse à cause d'un dîner pris bien plus tôt que d'habitude, leur attention se portant de temps à autre sur ses chaussures beiges et pointues. « Je terminerai, dit-elle dans le micro, par un poème intitulé *Le Cirque dans la pluie.*

Ce n'est pas l'histoire d'un cirque
de singes français découragé par la pluie.
C'est l'histoire du restaurant
devant lequel vous arrivez en taxi
votre vie s'arrêtant là et méchamment,
comme la chanson d'un chien
votre cœur en papillote.

Le poème racontait l'histoire d'une call-girl de Manhattan qui traversait une crise mystique. *Qu'est-ce qu'un halo si ce n'est un bel accident / de lumière et de poussière en orbite. Qu'est-ce qu'un cœur / si ce n'est un…* Elle jeta un coup d'œil aux deux femmes âgées assises au premier rang, dubitatives. L'une d'entre elles avait sorti ses aiguilles et son tricot. Odette regarda à nouveau sa page. *Chimpanzé dans la poitrine*, avait-elle écrit dans un premier jet, et c'est ce qu'elle lut.

Il y eut une petite réception ensuite, près du meuble à fiches. On avait disposé sur une table des petits cubes de fromage aux poivrons qui ressemblaient à des dés, un échiquier de biscuits salés, foncés et clairs, une assiette de viandes froides dont la forme évoquait une roulette. « C'est un vrai casino, bon sang. » Elle se tourna et parla à Pinky qui s'était approché et avait mis son bras autour d'elle.

« Tu m'as manqué, lui dit-il. J'ai mangé du gibier et j'ai pensé à toi.

– Oui, eh bien, merci quand même d'être venu.

– J'ai trouvé que tu lisais très bien. Je n'ai pas tout compris, je dois l'avouer. Certains de tes trucs sont un peu trop intelligents pour moi.

– Vraiment », dit Odette.

Les gens lui serraient la main. Ils la regardaient d'un air interrogateur, venaient à elle avec des attentes, des malentendus et ce qu'ils croyaient être une connaissance intime d'elle. Elle se sentait sans défense, désavantagée. Elle alluma une cigarette.

« Vous voyez vraiment les hommes comme ça ? lui demanda un homme à la moue sceptique.

– Vous voyez vraiment les femmes comme ça ? lui demanda quelqu'un d'autre.

– Votre voix, dit un étudiant. C'est comme celle de – qui c'est cette actrice déjà ?

– Mercedes McCambridge, dit son amie.

– Non, une autre. J'ai oublié. »

Plusieurs couples âgés avaient déjà enfilé leurs manteaux et mis leurs chapeaux, mais ils s'approchèrent d'Odette pour lui serrer la main. « Vous étiez merveilleuse, mon enfant, dit l'une des deux femmes qui étaient assises au premier rang en regardant fixement le nez d'Odette.

– Oui », dit l'autre en étudiant son ouvrage mal tricoté – une écharpe à la bordure ondulante.

« Nous assistons à ces lectures chaque année », dit un homme à côté d'elle. Il avait cherché quelque chose à dire et n'avait trouvé que ça.

« Eh bien, merci d'être venu aussi cette année », lui répondit bêtement Odette, et elle tira une bouffée de sa cigarette.

Kay Stevens, la responsable des lectures publiques, vint l'embrasser sur la joue ; la cire vanillée de son rouge à lèvres collait comme un bonbon. « Un grand succès », dit-elle rapidement, et puis elle fronça les sourcils et s'esquiva.

« Est-ce que je peux t'offrir un verre quelque part ? » lui proposa Pinky. Il ne l'avait pas quittée, et elle se tourna pour lui lancer un regard reconnaissant.

« Oy, dit-elle. Avec plaisir. »

Pinky l'emmena de l'autre côté du comté. *Chez Humphrey Bogart.* Il porta un toast à sa santé, enleva une tache brillante sur sa joue, la regarda dans les yeux et lui dit : « Félicitations ». Il but jusqu'à l'ébriété, rapprocha sa chaise et posa sa tête sur son épaule. Il écoutait la musique, mâchouillait la paille de son cocktail et tapait du pied.

« Des préférences ? » grommela le chef du groupe dans le micro.

« Oh ! Jouez-nous donc un des Chants de Sion, cria Pinky.

– Pardon ? » Les mots rugirent dans le micro.

« Rien, dit Pinky.

– Peut-être qu'on devrait y aller, dit Odette en attrapant la main de Pinky sous la table.

– D'accord. »

Il alluma une bougie avec une allumette dans l'obscurité de sa chambre, et la flamme projeta sur le mur un dessin tremblotant. Il revint vers elle et la serra contre lui. « Pourquoi est-ce que je ne viendrais pas avec toi à New York ? » Elle était silencieuse, et il ajouta alors : « Non, je pense que tu devrais rester ici. Je pourrais t'emmener faire du ski de fond.

– Je n'aime pas le ski de fond, murmura-t-elle. Ça me rappelle quand on était petit et qu'on mettait les pantoufles de son père, puis qu'on traînait dans la maison avec.

– Je pourrais t'emmener en motoneige près de Sand Lake. » Il y eut un autre silence. Pinky soupira. « Non, tu ne resteras pas. Je t'imagine en train d'appeler tes amis, de leur dire que tu as décidé de rester, et je les imagine eux en train de hurler : "Tu as fait *quoi* ?"

– Tu nous connais, nous autres de la côte Est, dit-elle désespérée. Quand on arrive quelque part, on viole et on pille.

– Tu sais, je crois que tu es probablement la personne la plus intelligente que j'aie jamais rencontrée. »

Elle s'arrêta de respirer. « Tu ne sors pas beaucoup, je crois. »

Il roula sur le dos et fixa le plafond rempli de fossettes, où dansaient les ombres et les taches. « Quand j'étais au lycée, j'étais mauvais élève. J'ai dû prendre des cours de rattrapage dans cette maison derrière l'école. Ça s'appelait La Maison. »

De son pied elle lui frotta doucement la jambe. « Est-ce que tu essayes de me faire pleurer ? »

Il lui prit la main, l'enleva de sous les couvertures, la porta à ses lèvres, et l'embrassa. « Tu tournes tout en dérision, lui lança-t-il.

– C'est l'impression que les autres en ont, nuance. Je prends les choses très au sérieux. »

Ils passèrent une dernière nuit ensemble. Chez lui, tard, toutes lumières éteintes, ils regardèrent une autre cassette des *Survivants de l'Holocauste*. Il s'agissait d'un garçon que les nazis obligeaient à chanter. Parce qu'il savait chanter, il fut le dernier à prendre une balle dans la tête, mais quand ils tirèrent, ils manquèrent le centre de son cerveau. On le retrouva vivant. « Je dois penser à des choses heureuses, disait-il à présent qu'il était âgé, les yeux dans le vide. Ce n'est peut-être pas ce que font les autres, mais c'est ce que moi, je dois faire. » *Il avait une voix superbe*, dit une femme, une autre rescapée. *Belle comme le chant d'un oiseau divin qu'aurait accompagné une flûte.*

« Dur », murmura Pinky quand ce fut fini. Il appuya sur le bouton de la télécommande et se tourna dans l'obscurité, vers le mur, contre un amas de couvertures. Odette se colla contre son dos, l'enlaça, son paumes sur le léger renflement de sa poitrine, ses doigts enfoncés dans les poils légèrement emmêlés.

« Ça va ? » lui demanda-t-elle.

Il se tourna vers elle et l'embrassa, et dans le noir il lui parut plus vieux et triste. Il prit un de ses doigts et le mit sur son visage. « Tu ne m'as jamais questionné là-dessus. » Il guida son doigt le long de son menton et de sa joue, le laissant finir sa course dans sa moustache, comme sa cicatrice.

« J'essaye de ne pas poser trop de questions. Une fois que je suis lancée je ne m'arrête plus.

– Tu veux savoir ?

– Pourquoi pas.

– Un jour au lycée, un type m'a traité de sale juif et je lui ai couru après. Mais j'étais gros et maladroit. Il a cassé une bouteille et l'a fait glisser le long de mon visage. Quand je suis rentré chez moi, ma grand-mère a failli s'évanouir. Le plus drôle c'est que j'ignorais que j'étais juif. Ma grand-mère a attendu le lendemain pour me le dire.

– Vraiment ?

– Il faut que tu comprennes comment fonctionnent les juifs par ici : ils ont peur d'être démasqués. Ils ont peur qu'on découvre ce qu'ils sont. » Il respirait régulièrement, inspirait et expirait, et le store remua un peu à cause du radiateur en dessous. « Comme tu le sais peut-être déjà, mes parents sont morts en camp de concentration. »

Odette ne répondit rien, et puis elle dit : « Oui. Je sais. » À ce moment précis, elle se rendit compte qu'elle savait, que d'une certaine manière elle l'avait toujours su, quoique ce fait soit resté sous la surface, nageant et respirant comme un poisson, jusqu'à ce qu'il éclate maintenant, haletant, la bouche grande ouverte.

« Est-ce que tu t'en vas vraiment vendredi ? lui demanda-t-il.

– Comment ?

– Vendredi. Tu pars ?

– Je suis désolée, je n'ai pas entendu ce que tu disais. Il y a du vent dehors, ou je ne sais quoi.

– Je t'ai demandé si tu partais vraiment vendredi.

– Oh ! » fit-elle. Elle enfouit son visage dans son cou. « Pourquoi est-ce que tu ne viendrais pas avec moi ? »

Il eut un rire fatigué. « Bien sûr, dit-il. O.K. », discernant mieux qu'elle à ce moment-là l'étrange frontière sinueuse entre la charité et l'ironie, entre le vol à l'étalage et l'amour.

Durant cette dernière journée elle ne pensa qu'à lui. Elle fit ses valises et nettoya le petit appartement, mais elle l'avait fait tellement de fois dans sa vie que ça ne signifiait rien, pas au plus profond d'elle-même, rien qui ne faisait sens pour elle.

Elle devrait rester.

Elle devrait rester ici avec lui, faire qu'il ne soit plus orphelin grâce à son amour presque maternel, vivre sagement et simplement dans un monde suffisamment monstrueux pour pouvoir compter sur des années de prostituées et de mort, et de poèmes sur les prostituées et la mort, tellement monstrueux que l'on se demandait comment on pouvait le supporter. Il fallait se construire un abri. Il fallait confectionner une poche pour y vivre. Elle devrait vivre là où il y a des arbres. Elle devrait vivre là où il y a des oiseaux. Aucun oiseau, aucun arbre ne l'avait jamais rendue malheureuse.

Mais ce serait comme aller au Paradis et s'apercevoir qu'aucun de ses amis n'y est. Sa vie continuerait, pleine de béatitude et vide de sens. Et s'il venait à New York, eh bien, ça le perturberait. Il n'y avait jamais été auparavant, et il était à parier qu'il passerait tout son temps le nez en l'air à regarder les gratte-ciel et à s'exclamer : « Bon Dieu, regarde comme ces salauds sont hauts ! » Il marcherait dans l'urine vagabonde, tous lacets défaits. Il marcherait dans la merde de chien qui n'attendrait que lui, comme un champ de mines. Il lirait les menus dans les devantures des restaurants et sifflerait en voyant les prix. Il dévisagerait un clochard aviné couché sur un trottoir, jambes écartées et se tripotant l'entrejambe et il dirait, pas méchamment : « Ce type prend vraiment sa vie en main. » Il regarderait les femmes.

Et son impatience grossirait, redoublerait et aurait rapidement un goût amer. Au lit elle se détournerait de lui, ses mains sous l'oreiller, le réveil à quartz ôtant un à un les oripeaux des chiffres. Elle soupirerait un peu à cause du passage du temps, son couloir sans fin, les murs défilant de chaque côté, dans l'obscurité, toujours plus vite.

« Qu'est-ce que tu fais, tu t'arrêtes pour la nuit sur la route ? » lui demanda-t-il alors qu'il se tenait près de sa voiture dans le froid. C'était vendredi matin et la neige tombait en fins crachats. Il était venu l'aider à charger sa voiture.

« Je conduis jusqu'à ce que la nuit tombe, je prends une chambre dans un motel et je lis jusqu'à ce que je m'endorme. Puis je me lève à six heures du matin et je reprends la route.

– Eh bien, alors, qu'est-ce que tu emportes à lire ? » Il semblait malheureux.

Elle avait un numéro de *Vogue* et *Le Jung de poche*. « Un truc de Jung, dit-elle.

– Jung ? » Son visage se décomposa.

« Ouais, soupira-t-elle, sans vouloir lui expliquer. Un livre qu'il a écrit, intitulé *Le Jung de poche*. » Elle ajouta : « C'est un psy. »

Pinky la regarda au fond des yeux. « Je sais, dit-il.

– Ah bon ? » Elle était un peu surprise.

« Ouais. Tu devrais lire son autobiographie. Le titre est très intéressant. »

Elle sourit. « Mais qui es-tu vraiment ? Son autobiographie ?

– Ouais, dit Pinky lentement. Ça s'appelle *Neil Jung : une vie*. »

Elle rit fort, pour lui faire plaisir. Puis elle fixa son visage, pour le garder à l'esprit, tel qu'il était à présent. Il portait une chemise noire, un pull noir, un pantalon noir. Il souriait. « Tu ressembles à Zorro aujourd'hui », lui dit-elle, étrangement émue. Ses veines qui battaient à ses tempes ressemblaient à des créatures sous-marines, tentaculaires et suffoquant. Elle l'embrassa longuement sur le bord de l'oreille, sentant dans les montagnes russes de son cerveau une ligne sinueuse, sinueuse. Elle monta dans la voiture. Même si elle n'avait pas encore démarré, elle était déjà partie, sans elle, avant elle, si bien que ce qu'elle ressentait à présent c'était le sentiment humiliant d'avoir été laissée en arrière, de devoir recommencer, refaire pareil, encore et encore.

« Avec tous ces kilomètres que tu fais », dit-il en passant sa tête par la fenêtre, le visage aussi blanc que du fromage frais, sa cicatrice comme le zigzag qu'aurait tracé une motoneige à travers un lac hivernal. Le vent souffla gracieusement dans ses cheveux. « Comment veux-tu que quiconque soit jamais proche de toi ?

– Je ne sais pas », dit-elle. Elle lui serra la main à travers la vitre et puis elle enfila ses gants.

Et elle y pensa durant toute sa traversée de l'Indiana, sous l'enseigne en forme de coucher de soleil qui éclairait le toit du motel à Sandusky, au point du jour en Pennsylvanie, et elle souffrit comme pour une naissance – comme si elle s'entraînait à naître. Elle avait oublié des choses : une chemise de nuit accrochée derrière la porte de la salle de bains, des boucles d'oreilles sur la table de chevet du motel. Et tout l'amour qui l'avait submergée devrait devenir un souvenir, un camion sur l'autoroute grondant sur sa gauche et qu'elle devrait laisser passer.

Elle garerait la voiture tout près de Delancey Street ; il y aurait, de l'autre côté de la rue, l'hôtel avec les enseignes PEPSI et HÔTEL en lettres lumineuses. Toute la nuit les sirènes mugiraient et les voitures vrombiraient et fileraient le long de Houston Street, de Canal Street, vers le Holland Tunnel – une pancarte tordue qui en indiquait la direction visant carrément sa fenêtre. Elle se lèverait le matin pour faire des courses ; à l'épicerie du coin le vendeur hispanique taperait les chiffres de travers sur sa caisse, et le dentifrice serait enregistré à deux mille dollars. « Deux mille dollars ! » hurlerait le vendeur avec un mouvement de recul et en regardant Odette. « Vous parlez d'un dentifrice ! » De très loin, et le soir, un homme téléphonerait pour lui dire sans conviction : « Je viendrais te rendre visite à la Saint Valentin », histoire incongrue et emmêlée, se mordant les lèvres.

Si elle avait repoussé des cadeaux de la providence, de Dieu ou d'une autre puissance, elle éprouverait les choses différemment. Et elle se sentait comme quelqu'un qu'elle aimait bien, une vieille amie dont il lui fallait faire la connaissance, encore intacte et en avance sur elle-même, comme une lumière qui vacille.

Encore une fois la famine

L'ex-femme de Dennis était tombée amoureuse d'un homme qui, selon elle, était un véritable personnage de roman. Dennis avait oublié de lui demander lequel. Il était déprimé et avait eu peu l'occasion de sortir avec des femmes. « J'aurais dû lui dire : "Ouais, et quel personnage ?" » Dennis se donnait souvent des claques au téléphone, ce qui n'était pas facile à faire, il fallait cacher sa douleur. Son amie Mave avait tendance à gribouiller en lui parlant, des silhouettes esquissées à grands traits ou un jeu de morpion en solitaire. Parfois elle l'interrompait pour lui demander quelle heure il était. Son réveil se trouvait dans l'autre pièce.

« Mais tu sais, disait Dennis, j'ai ma façon bien à moi de me venger : si elle veut sortir avec d'autres hommes, eh bien je vais tout simplement rester assis ici et la laisser faire.

– C'est un genre de revanche extrêmement efficace », constata Mave. Elle n'était pas douée pour parler au téléphone. Elle avait besoin de voir le visage de son interlocuteur, le schéma des yeux, du nez, de la bouche tremblante. Quand elle était au téléphone, il lui fallait souvent imaginer le visage de Dennis à partir d'une fenêtre : la poignée était le nez rond retroussé, les carreaux les yeux, le rebord la lèvre saillante. Ou bien elle dessinait une autre silhouette. Les gens étaient supposés parler en regardant un visage, sa forme désastreuse de petit gâteau, le cœur y jouant à cache-cache. Au téléphone, on prononçait les mots mais on ne les voyait jamais atteindre leur cible. On les accompagnait à l'aéroport sans savoir s'il y aurait quelqu'un pour les attendre à la sortie de l'avion.

Ils se retrouvèrent pour dîner dans un restaurant macrobiotique parce que c'était la dernière obsession de Dennis. Avant que sa femme le quitte, manger sainement signifiait pour lui commander le filet de poisson pané chez McDonald's ; maintenant il avait plein de livres sur le miso. Et le tofu. Mais il achetait surtout des livres sur l'amour. Il pensait que, de cette manière, il pourrait étudier son propre cœur. Mave avait remarqué que les hommes étaient comme ça. Ils aimaient se regarder dans le miroir. Pour les femmes, le miroir était une corvée : elles s'y regardaient, fronçaient les sourcils, sortaient l'arsenal et partaient au travail. Mais pour les hommes, le miroir était sexuel : ils s'échangeaient des regards avec leur propre reflet, se déshabillaient des yeux et se contemplaient si longuement que ça en devenait choquant. Mave pensait que si l'on n'était pas capable de voir sa vie clairement, de l'observer intelligemment, cela signifiait qu'on en occupait probablement le centre, ce qui ne pouvait être qu'une bonne chose.

Ce mois-ci Dennis lisait des livres écrits en principe pour les femmes, intitulés : *Devenez authentique, petite futée, devenez authentique* et *Pourquoi je me déteste*. « Ces livres c'est des problèmes en perspective, dit Mave. Des gens bien dans leur peau risquent de mettre la littérature en danger dans ce pays. Sans parler des professions libérales. » Elle étudiait la cravate de Dennis, qui était sur l'envers, l'œil doux et diminué de son étiquette coupée. « Tu choisis d'être en bonne santé, et tu laisses trop de personnes intéressantes derrière. »

Mais Dennis dit qu'il s'identifiait, que ces livres étaient incroyables ; il plongea la main dans le sac qu'il emportait partout avec lui et lut plusieurs passages à voix haute. « Tiens », dit-il à Mave qui avait apporté son propre whisky et le versait dans un verre dont elle avait bu toute l'eau pour ne laisser que les glaçons. Elle avait d'ailleurs dû batailler avec la serveuse pour qu'elle lui en mette. « Non, écoute plutôt ceci », dit Dennis. Il était tombé sur un paragraphe dans *Pourquoi je me déteste* et s'était mis à lire avec conviction, quand il éclata tout à coup en pleurs, des sanglots inconsolables qui venaient du ventre. « Oh ! mon Dieu, je suis désolé. »

Mave poussa son verre de whisky vers lui. « Ne t'en fais pas », murmura-t-elle. Il avala une gorgée, et puis rangea le livre. Il plongea la main dans son sac de livres et y trouva un Kleenex pour se tamponner le nez.

« Je ne suis pas devenu comme ça tout seul, dit-il. Il y a des gens qui sont responsables. » Dans son sac, Mave aperçut un magazine avec un gros titre exaspéré : L'ÉTHIOPIE : POURQUOI MEURENT-ILS DE FAIM CETTE FOIS-CI ?

« L'ennui n'a pas de cœur », dit Dennis dont les larmes s'étaient calmées. Il montra le magazine du doigt. « Quand on se met à bâiller, le sang qui est dans la poitrine s'arrête de circuler.

– Tu as suffisamment bu ?

– Non. » Il avala une petite gorgée et grimaça. « Je veux dire, oui », et il rendit le verre à Mave puis s'essuya la bouche avec une serviette en papier. Mave regarda le visage de Dennis et se réjouit que personne n'ait rompu avec elle récemment. Quand quelqu'un vous quittait, vous deveniez très laid, et ça confirmait tous les doutes que cette personne pouvait avoir sur vous pour commencer. « Attends, juste une autre gorgée. » Quelqu'un vous quittait et vous vous mettiez à hurler. Votre visage devenait bouffi et rouge, et vous vous négligiez. Vous vous excusiez auprès d'objets inanimés et vous vous mettiez à boire alors que vous aviez juré que vous ne le feriez pas. Vous vous promeniez en fredonnant la musique de *La Vallée des poupées*, imitant tous les instruments, traînant sur la phrase *Gotta get off, gonna get, have to get*... Ce n'était pas une bonne chose de se retrouver dans une situation aussi délicate à cause de l'amour. À cause de la nourriture, oui, mais pas à cause de l'amour. L'amour ne se mangeait pas. L'amour, pensait Mave, était davantage comme les toilettes au Ziegfeld avec un lavabo dans chaque W.C., tu parles d'une aubaine. Mave faisait tout ce qu'elle pouvait pour oublier très rapidement après la rupture à quoi ressemblaient les hommes avec lesquels elle était sortie. Ça s'appelait sauver les meubles.

« À ta santé », lui lança Dennis. Il souriait. Le whisky lui tournait agréablement la tête.

Mave regarda le menu. « Il n'y a pas de spaghettis ni de boulettes de viande. Je voulais commander le menu enfant avec les spaghettis et les boulettes.

– Oh, tiens », dit Dennis en secouant un doigt pour souligner son propos – maintenant qu'il avait rangé ses livres et qu'il avait bu de l'alcool, il semblait plus sûr de lui. « Est-ce que je t'ai dit que le type avec lequel sort ma femme est italien ? De Milan, pas de Brooklyn. Ça signifie quoi, à ton avis, qu'elle soit tombée amoureuse d'un Italien ?

– Ça signifie qu'elle va se sentir tout le temps mal fagotée. Ça signifie qu'il observera les peluches de son pull quand elle lui racontera un goûter d'anniversaire douloureux de son enfance auquel personne n'était venu. Regardons les choses en face, Dennis. Elle finira par regretter tes cheveux en bataille.

– Je vais chez le coiffeur demain. »

Mave chaussa ses lunettes. « Ce n'est pas un restaurant ici. Les restaurants ne servent pas ce genre de choses !

– Tu sais, je dois t'avouer un truc à propos de ces livres pour femmes. Tous soulignent l'importance d'identifier et d'accepter son côté homosexuel. Ça libère et développe en soi d'autres formes d'amour. »

Mave leva les yeux vers lui et lui sourit. Elle était attirée par les fous à cause de leur esprit vif. « J'en déduis donc que tu as identifié et accepté ?

– Eh bien, disons que j'en ai pris conscience. Les garçons m'intéressent. Et les filles *aussi.* » Il se pencha en avant pour lui confier : « Ce sont les androgynes qui ne m'intéressent pas. » Dennis tendit à nouveau la main vers le verre de whisky de Mave. « Bien entendu, je ne suis vraiment pas dans la ville qu'il faut. Je peux ? » Il renversa sa tête en arrière et les glaçons heurtèrent ses dents. De l'eau perlait sur son menton. « Et toi, Mave, avec qui roucoules-tu ces jours-ci ? » Dennis commençait à avoir l'air soûl. Ses lèvres étaient douces, charnues et entrouvertes comme un porte-monnaie.

« Ces jours-ci ? » Il y avait des petits trucs comme ça pour gagner du temps.

– Ceux-là mêmes.

« Ceux-là. Eux-mêmes. Je suis sortie quelques fois avec Mitch. »

Dennis laissa tomber son front dans la paume de sa main qui avait décollé de la table, si bien que les deux se rencontrèrent dans les airs, en une collision qui n'était pas belle à voir. « Mitch ! Mave, mais c'est un dragueur-né !

– Et alors ? J'avais besoin qu'on me drague. J'étais en train de perdre mon éclat.

– Tu sais ce que tu fais ? Tu mets tous tes ex en vente. Ça s'appelle Rangement par le vide. Immolation par le désir.

– Écoute, quand on a envie d'être séduite, on va voir un séducteur. J'ai arrêté de prendre ces choses-là au sérieux. Maintenant, je mets un point d'honneur à oublier à quoi ressemblaient mes ex. Je suis comme Rudolf Bing. J'ai perdu la tête, je sillonne les mers du Sud avec le mauvais amant, mais je garde la foi. Je crois que quiconque impliqué dans une histoire d'amour est un genre de Rudolf Bing et qu'il serait vain pour lui de prétendre le contraire… Oh, mon Dieu, le type avec le pull est en train de palper les nodules lymphatiques de sa copine. » Mave enleva ses lunettes et fouilla dans son sac à la recherche de sa bouteille de whisky. Voilà ce qui arrivait quand on avait faim : une brèche dangereuse s'ouvrait en vous, infinie comme l'univers, ou comme une falaise. « Je suis désolée. Rudolf Bing m'occupe l'esprit. Depuis un moment déjà. Je trouve que nous lui ressemblons tous beaucoup.

– *Almost like Bing in Love*[1], dit Dennis. *What a day this has been. What a rare mood I'm in.* » Mave se délectait

1. Jeu de mots sur *Almost Like Being in Love*, standard du jazz américain des années 40.

d'une longue gorgée de whisky. « J'écoute cette cassette de Judy Garland en boucle, le *Live à Carnegie Hall*.

– La musique ! Parlons de musique ! Ou de la mort ! Pourquoi faut-il toujours que l'on parle de l'amour ?

– Parce que nos parents étaient des tordus et qu'on a dû mendier pour être aimés.

– Tu sais ce que j'ai décidé ? Je ne veux pas être incinérée. À une époque oui, mais maintenant je trouve que le bruit ressemble un peu trop à celui d'un mixer grande vitesse. Je veux donc qu'on m'embaume, et qu'ensuite un chirurgien esthétique me mette des implants en silicone partout. Et puis je veux reposer dans une forêt comme Blanche-Neige, avec comme inscription sur ma tombe *Faut Danser*. » Le whisky descendait gentiment. C'est ce qui arrive au bout d'un moment, quand on a le ventre vide – l'alcool doit faire le travail de la nourriture tout seul. « Voilà. Nous venons de parler de la mort.

– Tu appelles ça parler de la mort ?

– C'est quoi, du chou *kale* ? Je ne comprends pas pourquoi ils n'ont pas encore pris notre commande. Il y a du monde maintenant, mais il n'y avait pas un chat il y a dix minutes. Peut-être est-ce à cause des glaçons.

– Tu sais ce que ma femme dit d'autre à propos de cet Italien ? Elle dit qu'il n'arrête pas de chanter la même chanson. Tu sais laquelle ?

– *Santa Lucia ?*

– Non. La chanson de *La Famille Adams*.

– Ta femme te raconte ça ?

– On est amis.

– Ne me dis pas que vous êtes amis. Tu la détestes.

– On est amis. Je ne la hais pas.

– Tu penses qu'elle est intéressée et que c'est une traînée. Elle est avec un type qui a de grandes chaussures et porte des barrettes dans les cheveux.

– À une époque, tu étais gentille.

– Je n'ai jamais *été* gentille. Je le suis toujours.

– Ce n'est pas mon année, dit Dennis dont les yeux se remplissaient à nouveau de larmes.

– Je sais, dit Mave. Quatre-vingt-huit. Ça sonne trop latino, ou quelque chose dans ce goût-là.

– Tu sais, ce n'est pas une tare de ne pas être gentil.

– J'ai besoin de ta permission ? Merci. » C'était la dernière manie de Dennis : accorder à chacun la permission de se sentir comme il allait se sentir de toutes façons. La faute aux livres. La relation de Dennis avec ses propres sentiments était devenue tendre, protectrice. Détraquante. Entomologique. Mave ne pouvait pas fonctionner comme lui. Elle traitait sa vie sentimentale de la même manière que sa voiture : elle la rodait. À ses amis elle disait des choses du genre : « Je sais que vous pensez que c'est une voiture de 79, mais en fait c'en est une de 87. » Au bout du compte ça ne l'intéressait pas tant que ça de comprendre sa vie : elle allait de l'avant et elle agissait. Le truc, pensait-elle, c'était d'assister tranquillement à la pièce minable de l'existence, et non pas de se lever au milieu du spectacle pour crier : « Oh, mon Dieu, on voit les techniciens dans les coulisses ! » À un moment donné, toute analyse devenait effrayante et naïve.

« Dennis, franchement, pourquoi tu penses tout le temps à l'amour, pourquoi il t'importe tant de savoir si quelqu'un t'aime ou ne t'aime pas ? Tu ne lis que des livres sur ça, tu ne parles que de ça.

– Mets tous les affamés du monde dans une pièce, et tu auras beaucoup de conversations sur le rosbif. Est-ce que tu crois qu'ils devraient plutôt discuter du Code Napoléon ? » À la mention du mot rosbif le visage de Mave s'éclaira, verdâtre, fluorescent. Elle vit la serveuse s'avancer enfin vers leur table ; elle marchait d'un pas lent, fourbe qu'elle était, et grimaçait. Il y avait un grand napperon en papier collé à sa semelle. « Tu sais… », disait Dennis, jetant un regard perçant à Mave, tandis que Mave regardait la serveuse approcher. *Ô, vie, Ô, douceur, pardonnée pour les glaçons…* Il attrapa le poignet de Mave. Il y avait toujours une urgence. Et puis il y avait l'amour. Et puis il y avait une autre urgence. Un sandwich. Une urgence. L'amour. Une urgence. « Ce n'est pas comme si tu t'étais assoupie, s'inquiétait Dennis, sa voix l'atteignait à présent, haut perchée et larmoyante. Corrige-moi si j'ai tort, mais je ne pense pas avoir eu cette conversation tout seul. » Il resserra son étreinte. « Je me trompe ? »

Vies cruelles

Tout le monde aime le cirque.
Les clowns ! Les éléphants ! Les chevaux dressés !
Les cacahuètes !
Tout le monde aime le cirque.
Les acrobates ! Les funambules ! Les chameaux !
L'orchestre !
Suppose que tu aies le choix entre aller au cirque
Ou faire un dessin. Que choisirais-tu ?
Tu choisirais le cirque.
Tout le monde aime le cirque.

V.M. Hillyerer et E.J. Huey
Une histoire de l'art pour les enfants

Cette année-là, tous les films au cinéma parlaient de gens avec des plaques métalliques dans la tête. Par exemple, les esprits d'une autre galaxie se réunissent un soir dans une station balnéaire et prennent le contrôle des habitants, sauf de l'homme qui a une plaque métallique dans la tête. Ou alors : une fille avec une plaque métallique dans la tête erre sans but dans une ville côtière et ne sait plus qui elle est. Des preuves sont rejetées sur le rivage. Il y a aussi des marins. Ou encore : une femme voit en rêve une superbe maison inhabitée, et un beau jour elle passe devant cette même maison – belvédère, pignons et véranda identiques. Elle s'approche, frappe à la porte qui s'ouvre lentement. Elle se trouve face à elle-même ! Une femme qui est son double lui sourit. Elle a une plaque métallique dans la tête.

La vie semblait être devenue ainsi. Elle s'était échappée d'elle-même, tel un insecte qui mue.

En février, avec le dégel, la ville suintait comme une blessure. Il y avait beaucoup de rhumes, les gens toussaient dans le métro. Les trottoirs moussaient en un fromage de crachats, et les perrons, les entrées des immeubles, les abribus, étaient occupés par les *Rosies* – c'est comme ça qu'on les appelait –, des enfants, des hommes, des femmes sans emploi, avec les ganglions enflés ou de la fièvre, les yeux implorants mais remplis de haine, les lèvres couleur lavande et gonflées, aussi figées que des bouches peintes. Les *Rosies* vendaient des fleurs. Une tulipe pimpante. Un iris florissant. Généralement, personne ne les achetait. Généralement, c'était les *Rosies* eux-mêmes qui échangeaient une fleur contre une autre jusqu'à ce que l'un d'entre eux, femme ou enfant, meure dans la rue ; ils se réunissaient alors en pleurs à l'aube, sombre et rétrécie. Ce n'était pas du tout le matin mais bel et bien la nuit.

Cette année-là fut la première où il devint illégal – pour ceux qui vivaient dans des appartements ou des maisons – de ne pas avoir de télévision. Le gouvernement prétendait que des informations importantes, nécessaires à la survie, devaient pouvoir être diffusées facilement et rapidement. C'était la civilisation qui menaçait de se consumer, affirmait-on. « Déjà sur le gril », disaient certains qui en étaient venus à soupçonner qu'on les épiait, qu'on les contrôlait, que ce qu'ils craignaient quand ils étaient petits – à savoir que les gens qui passaient à la télé pouvaient les voir eux aussi – s'était à présent réalisé. La télévision devait rester allumée tout le temps, surmontée de l'antenne plastique en forme de V, signe de victoire ou de paix, nul ne le savait.

Mamie perdit le sommeil. Elle commença à se méfier de tout, jusqu'à ses propres mots : trop de choses vous infiltraient. Les objets implantés dans votre corps – plombages, boucles d'oreilles, pilules contraceptives – étaient capables d'intercepter des messages comme des antennes paraboliques, de substituer leurs mots aux vôtres, ou encore de vous faire mentir. On ne savait jamais. Ouvrez la bouche et vous pourriez dire contre votre gré des mensonges dans un état apathique. Les propos que vous teniez pouvaient être de vieilles émissions de radio sortant tout droit de l'aluminium de vos molaires, ou bien des échanges entre taxis retransmis par l'oreillette en forme de moule dans votre oreille. Ce que vous décriviez de manière concrète n'était peut-être qu'une image tirée du magazine *Life*, dont vous étiez obligé d'imiter les photos. Des corps entiers pouvaient ainsi être ventriloquisés. Contrôlés plus ou moins bien. Comme si vous vous asseyiez sur les genoux de quelqu'un et bougiez les lèvres. Vous pouviez prendre peur. Vous pouviez avoir peur que quelqu'un vous fasse peur : une peur d'un nouveau genre, très subtile, la paranoïa d'un paranoïaque.

Il ne s'agissait pas de science-fiction. Cela en ce moment se passait dans votre maison.

Mamie vivait dans un ancien salon de beauté rendu habitable, il y avait un plafond étamé, une odeur nauséabonde de térébenthine et une ribambelle de lavabos. La nuit, son mari, un peintre raté à l'humeur changeante et à l'haleine chargée de bière, s'endormait lové contre elle, son nez sifflant avec désinvolture. Elle fermait les yeux. *Avec tout cet amour dans le monde*, c'était une prière de son enfance. Avec tout cet amour, et alors ?

Ses os étaient comprimés.

Le radiateur s'époumonait et crachotait. La chaleur montait dans les tuyaux avec un bruissement semblable au battement d'ailes d'un oiseau.

Elle restait éveillée. Les nuits où elle réussissait à dormir, elle rêvait de la mort. Dans ces rêves, il lui fallait se rendre quelque part, se rendre dans l'endroit où elle devait mourir, où tout se passerait bien. Elle était toujours accompagnée d'un groupe de gens, comme pour un exercice d'alerte incendie ou un voyage scolaire. Peut-on mourir ici ? Quand est-ce qu'on arrive ? De quel côté est-ce que ça peut bien être ?

Ou alors il y avait le rêve de la maison. Toujours le rêve de la maison, comme dans le film du rêve de la maison. Elle trouvait une maison, frappait à la porte, et celle-ci s'ouvrait lentement sur l'obscurité avant de s'immobiliser ; alors son propre profil la saluait, suspendu au milieu de la pièce comme un lustre.

La Mort, disait son mari, Rudy. Il gardait une petite hache sous le matelas, au cas où il y aurait des intrus. *La Mort.* L'an dernier elle était allée consulter un médecin qui avait ausculté sa gorge et examiné un grain de beauté dans son dos comme s'il s'était agi d'un test de Rorschach, et Dieu seul sait ce qu'il pouvait y voir.

Il enleva le grain de beauté et le laissa flotter dans une fiole, tel un minuscule animal marin. Jetant un coup d'œil à sa gorge, il lui annonça : « Pré-cancer » – une chose mystérieuse ou un signe du zodiaque.

« *Pré*-cancer ? répéta-t-elle lentement car c'était une femme douce. « Est-ce que ce n'est pas... comme la *vraie vie* ? » Elle était assise et il était debout. Il tripota une bouteille d'alcool et du coton qu'il gardait sur l'étagère dans ce qui ressemblait à des bocaux de cuisine, la farine et le sucre du monde médical.

Puis il prit son poignet et le pressa brièvement. « C'est *comme* la vraie vie, mais ce n'est pas *nécessairement* la vraie vie. »

Il y avait une clôture en fer forgé et un portail fermé, mais elle remarqua immédiatement la mangeoire à oiseaux, les planches comme des bras en bois, la petite bouche ouverte en guise de porte, la jambe sur laquelle l'ensemble reposait. On approchait de la Saint-Valentin, c'était un matin boueux et rageux, et elle allait voir un agent immobilier, encore un autre, pas loin de la station du métro F, à l'angle de la Quatrième et de Smith, là où on pouvait voir la statue de la Liberté. Sur le chemin, elle était tombée sur cette maison avec la mangeoire à oiseaux. Une mangeoire à oiseaux ! Devant un arbre, un chêne qui dominait du haut de ses cent cinquante ans. Une institutrice y avait amené ses élèves et le leur montrait à présent du doigt. « Il y a cent cinquante ans. Est-ce que quelqu'un peut me dire quand était-ce ? »

Mais au départ, c'était la mangeoire : une croix avec un abri au toit anguleux – un épouvantail nu aux lignes horizontales comme une maison de Frank Lloyd Wright – ou bien un chalet alpin, avec ses rebords en bois mouchetés de graines de millet. En dessous, des petits pots à condiments remplis de beurre de cacahuètes étaient renversés dans la neige tachetée. Un écureuil couleur noisette, qui sautillait et s'arrêtait dans un soubresaut, soulevait chaque pot vers lui pour grappiller. Sur la mangeoire il y avait deux pigeons – les yeux grands ouverts, le cou épais, telles des gargouilles locales ; mais là-bas, n'était-ce pas un moineau ? Et un gros-bec ?

La bâtisse était une vraie maison, une des rares qui restait à New York. De style edwardien gothique en décrépitude, avec un dôme, jadis peint en gris argenté et désormais écaillé. On voyait une véranda et des treillis – le genre de maison où l'on irait prendre des leçons de piano, en supposant que les gens prennent encore des leçons de musique – une maison qui avait dû servir de funérarium. Elle était coincée entre deux commerces, l'agence immobilière et une laverie automatique.

« Vous cherchez un deux-pièces ? lui demanda la femme.

– Oui », dit Mamie, même si tout d'un coup ça lui semblait trop et trop peu en même temps. L'agent immobilier avait la coiffure et le maquillage assurés de la New Yorkaise, une femme qui savait évidemment comment nouer un foulard autour du cou. Mamie étudia ce foulard, devinant l'exacte géométrie des plis, la position du nœud. Si Mamie devait subir une opération qui lui laisserait plusieurs cicatrices à croisillons jusqu'en haut de la gorge, elle aurait besoin d'apprendre ces choses-là. Un chapeau, un foulard, un soupçon de fard à joues, des pastilles à la menthe : au bout du compte, tout le monde à New York avait quelque chose à cacher.

L'agent immobilier sortit un formulaire et prit un stylo. « Votre nom ?

– Mamie Cournand.

– *Comment ?* Tenez. Remplissez vous-même. »

C'était plus ou moins le même formulaire que ceux qu'elle avait déjà remplis dans d'autres agences. Quelle sorte d'appartement cherchez-vous ; combien gagnez-vous ; comment le gagnez-vous… ?

« C'est quoi, illustrateur historique pour enfants ? demanda froidement l'agent. Si je peux me permettre.

– Je, hum, je travaille sur une série de publications historiques, des livres d'images en fait, pour les en…

– Free lance ? » L'agent regarda Mamie d'un air soupçonneux puis avec de la compassion pour l'encourager à se confier.

« Je travaille pour McWilliams. » Elle mentait. « J'ai un bureau chez eux. L'adresse se trouve ici. » Elle se souleva légèrement de son siège pour la montrer du doigt.

L'agent se recula. « Je sais me repérer, dit-elle.

– Vous repérer ?

– Vous n'avez pas besoin de me montrer. Ça c'est le numéro de chez vous et celui-ci de votre travail ? Et ça c'est votre âge… ? Vous avez oublié d'indiquer votre âge.

– Trente-cinq ans.

– Trente-cinq, répéta l'agent en écrivant. Vous ne les faites pas. » Elle regarda Mamie. « Combien êtes-vous prête à payer ?

– Hum, neuf cents dollars environ.

– Bon courage », grogna l'agent, et, toujours assise sur sa chaise à roulettes, elle glissa bruyamment vers l'armoire à dossiers, en sortit une chemise en papier kraft, l'ouvrit et y rangea le formulaire de Mamie. « Nous ne sommes plus dans les années quatre-vingt, vous savez. »

Mamie se racla la gorge. Tout au fond d'elle-même, elle sentait la blessure non cicatrisée. « Elles ne sont pas terminées depuis très longtemps, juste quelques années. » Le regard maladroit et apeuré habitait à nouveau ses yeux, elle en était certaine. Cette peur qui la faisait ressembler à une enfant – elle détestait ça. Quand elle était petite, elle avait toujours écouté d'une manière légèrement empruntée et elle ne parlait jamais, à moins qu'on ne lui pose une question. À l'université, elle avait été le genre d'étudiante trop angoissée pour entrer dans la cafétéria. Elle s'était contentée le plus souvent de rester dans sa chambre où elle buvait du thé glacé tiède et mangeait des pâtes lyophilisées. « Vous habitez près d'ici ? » L'agent leva le menton. « Pourquoi déménagez-vous ?

– Je quitte mon mari. »

Le coin de sa bouche se releva. « *À notre époque ?* Bon courage. » Elle haussa les épaules et pivota sur sa chaise pour fouiller à nouveau dans ses dossiers. Il y eut un long silence, l'agent secoua la tête.

Mamie tendit le cou. « Quoi qu'il en soit, j'aimerais voir ce que vous avez.

– Nous n'avons rien. » L'agent immobilier ferma l'armoire avec force et se tourna vers elle. « Mais revenez nous voir. Nous aurons peut-être quelque chose demain. Nous devrions recevoir des listings. »

Ils étaient mariés depuis quatorze ans et vivaient dans le sud de Brooklyn depuis bientôt dix ans. Ce fut à une époque un quartier tellement irlandais, que jusque dans les années cinquante, les gamins jouaient au football dans la rue et s'interpellaient en gaélique. Quand Rudy et elle avaient emménagé pour la première fois, le quartier était alors plein d'Italiens qui connaissaient à peine l'italien et qui se penchaient par les fenêtres de clubs privés en criant : « Comment va ? » Maintenant il y avait des filles latinos en justaucorps aux couleurs vives, postées à chaque coin de rue où elles fumaient des cigarettes après le lycée et « faisaient régner la loi », comme disaient les garçons. Des artistes s'étaient installés, ainsi que des acteurs inconnus, des drogués, des *Rosies* désespérés. *Méfiez-vous surtout des acteurs inconnus*, disait-on pour rire.

L'ancien salon de beauté de Rudy et de Mamie avait maintenant un cadenas sur la porte et des fenêtres condamnées par des planches. À l'intérieur il restait les murs couleur lavande et les moulures dorées. Au fond de la pièce, ils avaient construit une mezzanine qui faisait face à des étagères, des chevalets, des toiles et une table à dessin. Contre le mur près de la porte étaient empilées les immenses peintures de Rudy qui représentaient des chiens grognant et des Vierge Marie. Il avait une série de chaque, et il espérait qu'avant de mourir, *avant que je me tire une balle dans la tête pour mon quarantième anniversaire*, il ouvrirait une galerie. En attendant, il repeignait des appartements ou empruntait de l'argent à Mamie. Il n'était responsable que d'un seul budget – les charges de l'appartement – et à plusieurs reprises il avait dû se précipiter dehors pour intercepter des employés portant casques et bottes venus pour couper l'électricité. « On n'a pas le temps de s'ennuyer ici », leur lançait Rudy en leur fourrant des billets dans la main. Une fois, il avait même essayé de payer la facture avec deux petites natures mortes.

« Tu n'as pas conscience de la réalité des choses, Rudy. C'est le vrai monde dehors. » Chez lui, elle le sentait, la frontière entre la folie et le charme était tenue. « Un monde bien réel et près d'exploser.

– Tu crois que ça me laisse indifférent ? » Son visage s'assombrit. « Tu ne vois pas que j'ai les larmes aux yeux chaque putain de jour en pensant à ce qui arrivera aux Rembrandt du Metropolitan Museum quand ça pétera ?

– Rudy, je suis allée voir un agent immobilier aujourd'hui. »

Depuis leur mariage, elle avait sûrement été trop rêveuse et indécise. Pour que l'amour dure il fallait avoir des illusions, ou ne pas en avoir du tout. Il fallait choisir son camp. C'était l'alternance de l'un à l'autre qui mettait les choses en danger.

« Encore ? » soupira Rudy, ironique mais blessé. À une époque, l'amour avait paru magique. Maintenant il passait pour un traître. Il fallait faire des tours de passe-passe, des Je Vous salue Marie, des oh pardon ! et apprendre à aboyer comme un chien. Malgré toute la boue qu'ils s'étaient jetée au visage, les moments d'abandon, la colère, les absences, la solitude menaçante, elle était toujours revenue vers lui. Il avait confiance – abracadabra ! Mais en fin de compte l'aspect mortifère de leur relation réapparaissait toujours. Pouvait-on vivre en compagnie d'un corps totalement éteint, une enveloppe vide de tout amour ? Lui pensait que oui.

La télévision s'alluma automatiquement sur une de ces campagnes gouvernementales : de beaux couples témoignaient de leur amour immortel, de leurs corps immortels eux aussi. « Nous sommes les Immortels », disaient-ils, et ils serraient dans leurs bras leurs enfants aux joues tachées de son. Leurs poupées avaient des yeux en verre. *Immortels*, disait le spot. *Soyez immortels.* « C'est insupportable, dit Mamie. Je ne supporte pas le frère et la sœur que nous sommes devenus. Je ne supporte pas la mère et le fils que nous sommes devenus. Je ne supporte pas les Immortels. Je ne supporte pas de me laver les cheveux avec du liquide vaisselle et de faire la vaisselle avec du shampooing bas de gamme parce qu'on est trop fauchés, déprimés ou pas assez organisés pour avoir les deux produits en même temps. » Ils avaient toujours fait ainsi. Comme papier toilette, ils utilisaient des serviettes en papier à l'imprimé festif, des serviettes cocktails, avec des petites fleurs dessus. Une grande caisse de ces serviettes, accompagnée d'un plateau, avait été envoyée à Rudy par erreur. Comme serviettes de bain, ils utilisaient des tapis de bain. Et en guise de tapis de bains, ils disposaient encore de serviettes en papier. Ils achetaient des savons en promotion avec écrit sur l'étiquette, *Soyez doux et vous n'aurez pas besoin d'être fort* : « C'est le camping ici, Rudy ! » Elle essaya d'en appeler à quelque chose qu'il comprendrait. « Mon travail. Ça perturbe mon travail. Regarde-moi ça ! » Et elle se dirigea vers sa table à dessin et brandit un dessin à moitié fini qui représentait Squanto plantant du maïs. Elle avait esquissé un autre dessin, une métaphore nucléaire : un homme blanc apprenait à planter des graines, et les voyant pousser avec succès, il en semait partout. « On dirait un crapaud.

– On dirait plutôt un receveur de l'équipe des Red Sox. » Rudy sourit. Pourquoi ne souriait-elle pas ? Il poursuivit d'un ton mi-moqueur, mi-sérieux : « Les facultés de discernement et de générosité sont toujours en conflit. Il te faut décider si tu es une muse ou une artiste. Une femme ne peut pas être les deux.

– Tu me sidères, dit-elle en lançant un regard accusateur autour d'elle. Ce n'est pas la vie, ça. C'est autre chose. » Et la pièce mal éclairée lui renvoya la triste image d'un vieux salon de beauté décrépi et recalé à l'examen de maths.

« Oublie ce Squanto à la noix, dit-il gentiment. J'ai une idée pour toi. J'y ai pensé toute la journée : un livre pour enfants qui s'appellerait *Trop de lesbiennes*. » Il agita ses mains. « Des lesbiennes dans les buissons, des lesbiennes dans les arbres… *Cherchez les lesbiennes…*

– J'ai besoin de prendre de l'air », et elle attrapa son manteau avant de sortir. C'était déjà le soir, gris métallisé et frais, et les flaques avaient légèrement gelé. Elle passa rapidement devant les *Rosies* au coin de la rue, et remonta six pâtés de maisons au pas de course et en zigzaguant pour aller jeter un coup d'œil à la mangeoire à oiseaux. On disait qu'il suffisait de visiter un endroit la nuit pour se l'approprier.

Quand elle arriva la maison était sombre, elle retint son souffle et resta silencieuse afin qu'on ne la découvre pas. Elle appuya son visage contre le fer forgé rigide du portail, puis soupira en priant pour une seconde vie, celle d'une femme qui habiterait dans une maison comme celle-ci, avec un ravissant et imposant toit mansardé ainsi qu'une profusion de pièces. Elle n'avait aucune confiance en sa vie, tout comme ces ingénieurs de l'aérospatiale hésitant à voler dans les avions qu'ils ont conçus eux-mêmes, effrayés à l'idée d'une mort causée par leur propre boniment.

La mangeoire à oiseaux était aussi grande qu'un agent de police et il n'y avait pas d'oiseaux.

« Tu ne devrais pas partir. Tu finis toujours par revenir », murmura Rudy. *Touriste dans votre propre désespoir*, avait-il dit une fois. C'était le titre d'un de ses tableaux. Celui d'un chien sautant par-dessus un canapé.

Elle observa par la petite fenêtre près de leur lit une bande de ciel et une étoile unique et terne semblable à un astérisque supposé la renvoyer à une explication succincte, comme si la nuit s'était offert une note en bas de page ! Rudy la tenait entre ses bras, l'embrassait. Le lit était le seul endroit où il lui semblait que son mari n'imitait personne. Au bout de quinze années elle avait vu toutes ses imitations – les amis, les parents, les acteurs de cinéma –, et à présent elle était un peu effrayée, comme si Rudy était plusieurs personnes à la fois, des gens vers lesquels il pouvait se tourner, non pas en cas d'urgence, mais comme une chaîne de télévision, un esprit devenu fou à cause du câble. Il était James Stewart. Il était Elvis Presley. « Quand tu étais petit, est-ce que tes parents étaient drôles ? lui demanda-t-elle une fois.

– *Mes parents ?* Tu rigoles. Enfin, il leur arrivait d'apprendre quelque chose par cœur. » Il était Dylan à l'harmonica. Ressemblant à s'y méprendre. Il était James Cagney. Il était un mélange musical qu'il avait surnommé Smokey Robinson Caruso.

« Tu ne crois pas que nous aurions des enfants superbes ? » implorait à présent Rudy à moitié endormi en balayant doucement de la main la frange de Mamie.

« Ils seraient angoissés et cinglés, murmura-t-elle.

– Tu te fais tout un cinéma à cause de ta santé.

– Mais peut-être qu'ils seraient capables de faire des imitations eux aussi. »

Rudy embrassa son cou, ses oreilles, son cou à nouveau. Elle devait cracher tous les jours dans un bocal qu'elle gardait dans la salle de bains et qu'elle apportait régulièrement à la clinique.

« Tu penses qu'on ne s'aime plus », lui dit-il. Il était capable de tendresse. Encore qu'il lui arrivait d'être rude. Il se pressait contre elle avec une force qui la sidérait, voulant faire l'amour, et l'embrassait violemment contre le mur : *allez, allez.* Parfois ses peintures devenaient plus tourmentées, tourbillons fiévreux d'hommes en costumes sodomisant des animaux : *voilà ce que j'ai à dire sur les yuppies, O.K. ?* Au café il déversait souvent sur elle des vagues d'ennui attristé, l'air écœuré tandis qu'elle contemplait d'un œil vide son déjeuner. Mais nu dans le lit, alors qu'elle s'ouvrait à lui, il pouvait être un mari attentif. « C'est ce que tu penses, mais ce n'est pas vrai. » Il y a des années, elle avait découvert ses petits mensonges, plutôt anodins dans l'ensemble et suscités par l'orgueil et le doute, parfois alimentés simplement par le désir de se voiler la face. Elle savait qu'il aimait raconter les mêmes anecdotes sur sa vie, encore et encore, chaque fois un peu différemment, les exagérations et les contradictions ayant un but déterminé – son autoportrait de génie incompris – ou non. « À dix centimètres de la porte, il y avait un caddy vide coincé contre la porte », lui avait-il raconté une fois ; ce à quoi elle avait rétorqué : « Rudy, comment pouvait-il être à dix centimètres de la porte et coincé *contre* elle ?

– Il était plein de journaux et de boîtes de conserve, de trucs comme ça. Comment veux-tu que je le sache ? »

Elle ne pouvait même pas dire à quel moment leur amour était tombé malade, depuis combien de temps il se lamentait sur sa propre tombe creusée avec rage. Ils avaient passé plus d'un tiers de leur vie ensemble – un tiers, le temps que l'on passe à dormir. C'était le seul homme qui ne lui ait jamais dit, pas une seule fois, qu'il la trouvait belle. Et il était resté auprès d'elle, l'avait aimée, même lorsqu'elle avait vingt ans et qu'elle était esclave de sa peur des rapports sexuels, n'osant pas bouger, que ce soit par politesse ou par timidité. Il l'avait aidée. Elle avait appris à faire monter le désir sexuel dans un cœur qui n'attendait que ça, un cœur qui ne tenait que par ça : les baisers et les caresses nécessaires semblaient mener à une seule chose – contenter son cœur. Mais il n'y avait eu que Rudy, seulement lui. « Maintenant nous sommes vraiment de mèche », exulta-t-elle le jour où ils se marièrent à la mairie.

« C'est pas mon truc les mèches, lui rétorqua-t-il tandis que son bras l'enlaçait mollement. Allons plutôt nous faire tatouer. »

Il y eut des baisers de déception, alimentés par la tristesse. La ville se desséchait et le monde se refermait sur eux. Rudy peignait des moues boudeuses à ses Vierge Marie, ouvrait des canettes de bière, regardait des vieux films à la télé. « À l'instant où on dit qu'on est heureux, on ne l'est plus. Pierre Bonnard. Le grand peintre du bonheur lié intrinsèquement à la mort. »

Peut-être avait-elle espéré que la vie lui offrirait quelque chose de plus tenace, de plus valorisant que l'amour sexuel, mais non, pas vraiment. À une époque elle s'était sentie comme une de ces filles postées au coin de la rue : un monde de justaucorps et de drogues – des drogues dont vous aviez une faim terrible et qui vous aidaient à jeûner.

« Tu ne crois pas que notre amour est hors du commun ? » lui demandait Rudy. Elle ne croyait pas qu'un tel amour existât. Même quand tout le monde se montrait pragmatique sur ce sujet, *elle* croyait – comme une folle envie de vent en hiver – à une seule espèce d'amour, celle pour laquelle on mourait, comme dans les livres et les films. Elle lisait trop selon Rudy, principalement des romans victoriens où les enfants parlaient au subjonctif. *Tu prends trop de choses à cœur*, lui écrivit-il une fois alors qu'elle était partie vivre à Boston avec une vieille tante et un carnet de croquis.

« Je ne mourrai jamais pour toi, lui dit-elle doucement.

– Bien sur que si », affirma Rudy. Il soupira et se leva. « Tu veux un verre d'eau ? Je vais descendre en chercher un. »

De temps en temps elle avait l'impression que son mariage était un saint guillotiné qui continuait à marcher à travers la ville et parcourait des kilomètres en portant sa tête. Elle imaginait souvent l'appartement partir en fumée. Qu'est-ce qu'elle prendrait avec elle ? Que sélectionnerait-elle pour sa nouvelle vie ? L'idée la rendait euphorique. *Tu prends trop de choses à cœur.*

Dans son rêve, elle franchit le portail, passe devant la mangeoire à oiseaux, et frappe à la porte. Celle-ci s'ouvre lentement, elle entre. Elle entre et fait le tour de la propriété puis ouvre la porte, en se demandant qui a bien pu frapper.

«*La Mort*, dit Rudy à nouveau. La mort par holocauste nucléaire. Tout le monde fait ce genre de rêves. Sauf moi. J'ai des cauchemars vraiment stupides où ma coupe de cheveux est ratée et où je ne connais personne à une soirée.»

Le matin, le soleil se déversait par la fenêtre près du lit. Il y avait davantage de lumière dans l'appartement l'hiver, quand la neige sur l'avancée renvoyait la lumière du soleil à l'intérieur, ce qui donnait au tapis une teinte grenat et dessinait des rayures claires sur le lit. Un chat de gouttière qu'ils avaient apprivoisé, hébergé et nourri, se prélassait sur le rebord de la fenêtre. Ils l'appelaient Monsieur Bouffe ou Bill de Baskerville, et de temps à autre Rudy était gentil avec lui: il le soulevait pour qu'il puisse inspecter la bibliothèque et renifler le plafond, ce qui semblait lui plaire. Mamie mettait des graines dans la neige afin d'attirer les pigeons, qui amusaient le chat à travers la vitre. Télé pour félins. Rudy, elle le savait, détestait les pigeons, leurs pattes de lézard, leur cervelle de la taille d'un petit pois, leur méchanceté étrangement bovine. Il admirait son ami Marco qui avait installé des piques en métal devant son système d'aération, pour empêcher les pigeons d'y atterrir.

D'habitude c'était Mamie qui était la première levée, la première à faire le café, la première à descendre précautionneusement l'échelle de fortune de la mezzanine, la première à aller sur la pointe des pieds dans le coin cuisine pour y faire chauffer l'eau, rincer les tasses, faire le café, prendre le jus de fruits, et ramener le tout au lit. Ils prenaient le petit déjeuner sous les couvertures émaillées de taches.

Mais aujourd'hui, comme les autres jours où il avait craint qu'elle ne le quitte, Rudy sortit du lit avant elle, nu comme un ver, sauta telle une carpe de la mezzanine et atterrit sur le sol avec un bruit sourd. Mamie regarda son corps : dégingandé, avec de grandes oreilles ; elle regarda aussi son dos, ses bras, ses hanches. Personne ne parlait jamais des hanches d'un homme, en forme de petite selle. Il enfila un caleçon. « J'aime ce genre de sous-vêtements, dit-il. Ça me donne l'impression d'être David Niven. »

Il préparait le café avec de l'eau provenant d'un tonneau en plastique pour le stockage des déchets. On le leur livrait chaque semaine, comme le lait, et ça leur coûtait vingt dollars. Ils faisaient la vaisselle et se douchaient rapidement avec l'eau du robinet, même si, selon les services sanitaires, le risque d'attraper ainsi des maladies de peau était grand. Il y eut d'ailleurs cette fois où Mamie n'avait pas entendu une mise en garde à la radio, et où elle avait pris une douche en se frottant sans ménagement avec une éponge qui ressemblait à un biscuit rassis, tout ça pour se retrouver avec des zébrures brûlantes sur les bras et les épaules : elle avait appris par la suite qu'on avait ajouté dans l'eau un produit chimique supposé éradiquer la prolifération de virus provenant des puces nichées sur les rats d'eau. Elle avait apaisé les plaques avec de la mayonnaise, c'était tout ce qu'elle avait sous la main, et des ampoules s'ouvrirent bientôt pour découvrir la chair rose jambon en dessous.

Mis à part le plaisir de regarder Rudy lui apporter le café – un cadeau en soi – elle détestait cet endroit. Mais on pouvait, comme elle, vivre avec la haine. La haine était enfouie si profondément que souvent elle se faisait oublier et la laissait vivre. C'était le simple agacement quotidien qui assombrissait l'humeur, la taraudant et se plantant devant elle, comme un enfant qui fait un caprice.

Rudy revint avec le café. Mamie se laissa rouler sur le côté du lit et lui prit le plateau fleuri des mains, tandis qu'il grimpait en haut de la mezzanine. « C'est l'Homme du café », dit-elle en essayant d'avoir l'air enjoué, peut-être même de gazouiller. Ne se devait-elle pas d'essayer ? Elle posa le plateau entre eux, prit sa tasse, et sirota. Il était amusant de constater qu'à chaque gorgée elle était capable de réarranger cet endroit fétide, de le voir sous un nouveau jour avec l'œil d'un cœur caféiné, presque de l'embellir. Mais ce n'était rien d'autre que le crachin d'affection que l'on ressent pour un endroit haï avant de le quitter. Elle partirait, une nouvelle fois. Elle transformerait les murs, les lavabos et la poussière térébenthinée en souvenir, elle ferait de l'appartement la scène de délits mineurs, et elle y penserait avec une affection fausse, édulcorée.

Mais dans ce cas-là, tout était faux et édulcoré, impossible de discerner ce qui était vrai et venait du cœur.

Le chat vint se blottir contre elle et elle caressa la pointe douce de son oreille ; puis elle ôta la poussière de ses moustaches. Il pencha sa tête sur le côté et ferma les yeux avec contentement, l'air assoupi. Comme c'était triste, pensa-t-elle, comme c'était affreux, quel bonheur d'être un animal et de confondre ces petites attentions avec de l'amour.

Elle posa sa main sur le bras de Rudy. Il pencha la tête pour l'embrasser mais il ne pouvait trop bouger sans risquer de renverser son café, et fut donc obligé de se redresser.

« Tu ne te sens jamais seul ? » lui demanda Mamie. Chaque instant de ces matinées lui semblait être l'objet d'une lutte entre le passé et le futur, qui lui demandaient tous les deux asile. Elle appuya sa joue contre son bras.

« Mamie », dit-il doucement, et ce fut tout.

Durant les cinq dernières années, pratiquement tous leurs amis étaient morts.

> *Les Indiens n'avaient pas l'habitude des maladies que les Anglais apportaient avec eux dans le Nouveau Monde. Beaucoup d'Indiens tombèrent malades. Lorsqu'ils attrapaient la varicelle ou les oreillons, ils en mouraient souvent. Un Indien très fier pouvait se réveiller un beau matin, se regarder dans un miroir acheté à un marchand anglais et y voir des taches rouges valser sur son visage ! Le fier Indien en était très fâché. Peut-être se jetterait-il contre un arbre pour se protéger. Peut-être se jetterait-il du haut d'une falaise ou dans le feu.* (Voir dessin.)

L'agent immobilier portait un foulard différent aujourd'hui – à jacquard turquoise, enroulé sur lui-même et qui lui cachait le cou comme un col roulé. « Un studio, dit-elle rapidement. Est-ce que vous vous contenteriez d'un studio ?

– Je ne sais pas trop », dit Mamie. Quand elle parlait avec quelqu'un de sec et de haut placé, elle se sentait déprimée et en danger.

« Eh bien, revenez quand vous saurez », lui lança l'agent sur sa chaise en roulant vers l'armoire.

Mamie prit le train pour Manhattan. Elle irait faire le tour des galeries d'art dans Soho après avoir déposé un manuscrit chez McWilliams. Ensuite elle rentrerait chez elle en faisant un crochet par la clinique. Elle avait son bocal en verre dans son sac à main.

Dans les toilettes de chez McWilliams, Mamie rencontra Goz, une secrétaire avec qui elle avait discuté quelquefois. Goz se tenait devant le miroir et se maquillait les yeux. « Hé, comment ça va ? » dit-elle quand elle vit Mamie.

Mamie passa son visage à l'eau pour faire disparaître la saleté du métro et chercha sa brosse à cheveux dans son sac à main. « Ça va. Et toi ?

– Ça va. » Goz soupira. Elle avait deux baumes parfumés, du mascara et plusieurs ombres à paupières éparpillés sur la tablette en dessous du miroir. Elle scruta son propre reflet et creusa ses joues. « Tu sais, ça m'a pris des années pour me maquiller les yeux comme ça. »

Mamie sourit, compréhensive. « Beaucoup d'essais, hein ?

– Non – des *années* de maquillage des yeux. Je l'ai laissé s'accumuler. »

Mamie se pencha en avant et brossa ses cheveux, la tête à l'envers.

« Hmm, dit Goz sur un ton un peu agacé. Qu'est-ce que tu as fait de beau ces jours-ci ?

– Oh, encore un truc pour enfants. C'est la première fois que je fais les illustrations *et* écris le texte. » Mamie se redressa et rejeta la tête en arrière. « Je suis venue déposer un chapitre. » Ses cheveux retombèrent, faisant de l'ombre à son visage. Elle avait l'air d'une folle.

« Oh ! Hmmm », dit Goz. Elle regardait les cheveux de Mamie avec intérêt. « Une femme ne doit pas avoir l'air d'avoir fait l'amour. »

Mamie lui sourit. « Et toi ? Tu sors, tu t'amuses ?

– Mouais », fit Goz un peu sur la défensive. Tout le monde ces jours-ci était sur la défensive quand il s'agissait de parler de sa vie privée. Ils étaient tous casés. « Je sors avec cet *homme*. Et mes amies sortent avec ces *hommes*. Et parfois on sort tous ensemble. Le problème c'est qu'on a toutes à peu près trente ans de moins que ces types. Quand on va au restaurant ou ailleurs, je regarde autour de moi et chaque homme à notre table a trente ans de plus que celle qui l'accompagne.

– Un banquet pères-filles, dit Mamie, sur le ton de la plaisanterie. Notre église en organisait parfois. »

Goz la regarda fixement. « Ouais », dit-elle, et elle rangea enfin son maquillage. « Tu es toujours avec ce type qui vit dans un salon de beauté ?

– Rudy. Mon mari.

– Oui, bref », fit Goz, et elle entra dans un W.-C. et ferma la porte.

Aucun des Anglais ne semblait tomber malade, ce qui suscitait beaucoup de discussions chuchotées dans les villages indiens. « Nous sommes en train de mourir, disaient-ils. Mais pas eux. Pourquoi ? » Et donc le chef, affaibli et malade, mit des habits anglais pour s'en aller voir les Anglais. (Voir dessin.)

« Je laisse ça pour Seth Billets », dit Mamie en tendant à la réceptionniste une large enveloppe en kraft. « S'il a des questions, qu'il n'hésite pas à m'appeler. Merci. » Elle tourna les talons et s'enfuit du bâtiment, empruntant les escaliers plutôt que l'ascenseur. Elle n'avait jamais aimé voir Seth. Il avait tendance à être agité et distrait, et ils travaillaient tout aussi bien par téléphone. « Mamie ? Superboulot, aimait-il lui dire. Je te renvoie le manuscrit avec mes suggestions. Mais n'en tiens pas compte. » Et le manuscrit arrivait toujours trois semaines plus tard avec des commentaires dans la marge du style *Pitié !* et *Ne me fais pas rire*.

Elle acheta le journal et se dirigea vers les quelques galeries d'art qu'elle connaissait sur Grand Street, s'arrêtant à un café sur Lafayette. D'habitude, elle commandait un café ou un thé, ainsi qu'un brownie, libérant sa tristesse avec du chocolat et de la caféine afin qu'elle se transforme en angoisse.

« Alors vous prendrez quelque chose ou non ? lui demanda la serveuse.

– Comment ? » Surprise, Mamie commanda le gâteau allégé.

« Bon choix », lui répondit la serveuse, comme si ça avait été un test, puis elle se précipita vers la cuisine.

Mamie ouvrit le journal sur la table et lut de biais et stoïquement les pages remplies de la guerre en Inde, et, au niveau local, de corps de femmes repêchés chaque semaine dans le canal Gowanus. Des femmes portées disparues, avec des contusions. Battues et noyées. Des secrétaires, des étudiantes, une *Rosie* ou deux.

Le gâteau allégé était servi avec des œufs en salade qu'elle mangea lentement, faisant fondre dans sa bouche le jaune humide et réconfortant. À la rubrique « Nécrologie » il y avait des morts différentes, des jeunes gars, comme à la guerre, et toujours, à la fin : *Ses parents lui auront survécu.*

Elle laissa le journal sur la table en guise de pourboire et passa le reste de la matinée à entrer et à sortir de galeries d'art et à regarder des tableaux qui lui semblaient bien pires que ceux de Rudy. Pourquoi ceux-là et pas ceux de son mari ? Peindre était la seule chose qu'il ait jamais voulu faire, mais personne ne l'aidait. L'âge avait déjà attaqué son visage : ses joues s'affaissaient, sa barbe était parsemée de blanc. Des poils durs poussaient comme des épis de blé dans ses oreilles. Au début elle l'accompagnait dans les vernissages, elle écoutait les gens dire des choses du genre « La syntaxe ? Est-ce que vous n'aimez pas la *syntaxe* ? » ou « Maintenant nous savons pourquoi on meurt de faim en Inde, nous avons dû attendre une heure pour notre tandoori ! » Elle finissait toujours par partir la première, tandis que lui traînait encore là-bas, habillé d'un pantalon en cuir noir d'occasion qui lui allait très mal, pour faire du charme aux marchands, aux célébrités, à ceux qui avaient réussi. Il proposait de leur montrer ses diapositives. Ou alors il entamait sa diatribe sur l'Art Théorique du Désastre et expliquait que si on pouvait peindre les atrocités, on pouvait les empêcher de se produire. « Anticiper et imiter, disait-il. Vous pouvez saboter un holocauste et le vider de son sens si seulement vous le privez de son originalité ; assez des livres, des pièces, des tableaux, on peut changer l'histoire ; en étant les premiers sur les lieux ! »

Une fois, un marchand d'art de l'East Village l'avait regardé avec intensité et lui avait dit : « Vous savez, dans une ruche, quand une abeille veut communiquer, elle effectue une danse. Mais si l'abeille ne s'arrête pas de danser, les autres la piquent jusqu'à ce qu'elle meure ». Puis il s'était tourné pour entamer une conversation avec quelqu'un d'autre.

Rudy rentrait toujours de ces soirées seul, traversant le pont d'un pas lourd, sa vie n'ayant pas changé d'un iota. Son cœur, elle le savait, était plein du désir qu'éprouvent les habitants d'un ghetto de passer de la pauvreté à la richesse grâce à un acte unique et simple. Ce rêve épuisait les pauvres, et c'était ce que la ville souhaitait : un pauvre à bout de forces. Il écumait les bennes à ordures pour y trouver des habits, des livres d'art, des morceaux de bois dont il ferait des cadres et des châssis, et au petit matin il rentrait à la maison avec une immense fleur séchée qu'il avait sortie des poubelles, un support pour plantes bancal, ou un petit miroir biseauté. À midi, s'il n'avait pas d'appartement à repeindre, il lui arrivait d'aller au coin de Broadway et de Wall, pour faire la manche avec son harmonica. Des chants de marins et du Bob Dylan. Les passants ralentissaient parfois quand il jouait *Shenandoah* avec tant de mélancolie que même celui qu'il surnommait « le plagiaire de la vie », en pardessus beige – « le genre de mec qui porte son trou du'c en bandoulière » – s'arrêtait parfois durant sa pause de midi pour laisser une partie de lui-même s'échapper en écoutant la mélodie, en signe de communion, en souvenir du passé. Mais la plupart du temps les gens se contentaient de filer, stressés par les courses qu'il leur restait à faire, shootant dans la boîte à chaussures que Rudy avait placée à ses pieds. Il ne jouait pas mal et il était aussi beau qu'un acteur. Mais quelque chose dans ses yeux lui donnait l'air d'un fou. Et c'était effectivement les fous qui venaient vers lui, lui sautaient au cou comme de vieux copains en hurlant tels des psychopathes, lui serraient la main et passaient un bras autour de ses épaules pendant qu'il jouait.

De toute façon les gens qui avaient de l'argent n'en donnaient pas à un type avec un harmonica. Un type avec un harmonica était forcément un alcoolique. Sans parler d'un type avec un harmonica qui portait un tee-shirt où il était écrit *Vino Cogito : Je pense donc je bois !* « Parfois j'oublie, disait Rudy sans conviction. J'oublie et je mets ce tee-shirt. » Les gens qui avaient de l'argent n'hésiteraient pas à dépenser six dollars pour s'offrir un cocktail, mais ils n'iraient pas donner quatre-vingts cents pour qu'un type avec un tee-shirt pareil s'offre une bière. Rudy rentrait généralement chez lui avec assez d'argent pour s'acheter un nouveau pinceau, et avec ce nouveau pinceau il peignait un tableau représentant plusieurs hommes d'affaires en train de sodomiser des animaux d'élevage. « Ce que je préfère dans la peinture figurative, se plaisait-il à dire, c'est choisir comment habiller les personnages. »

Les jours où lui et son copain Marco repeignaient des appartements, ils gagnaient de l'argent, du vrai, exonéré d'impôts, avec lequel ils s'offraient un resto chinois. Ils avaient appelé leur petite entreprise Notre But C'est Le Mur, et ils donnaient des ballons à leurs clients, pour rire. Dans ces moments-là les riches les aimaient bien – « Hé, les mecs, où est mon ballon ? » –, jusqu'à ce qu'ils découvrent qu'une bouteille d'alcool avait disparu ou qu'il y avait de mystérieux appels longue distance sur leur facture de téléphone. Les recommandations étaient donc rares.

Et maintenant quelque chose lui arrivait. Le soir, plus encore qu'auparavant, il la poussait, la forçait, et elle avait de plus en plus peur de lui. *Je t'aime*, lui murmurait-il. *Si seulement tu savais combien je t'aime*. Il l'attrapait violemment par les épaules, appuyait sa bouche fermement contre la sienne, et son corps pressé contre le sien lui faisait mal. Dans les musées et les galeries, il se moquait gentiment de ses opinions. « Tu ne connais rien à l'art », lui reprochait-il en secouant la tête quand elle aimait une toile qui n'était pas de Rembrandt, le tableau d'un peintre avec qui il se sentait en concurrence, un peintre de son âge, un peintre qui était une femme.

Elle finit par y aller seule, comme aujourd'hui, se faufilant entre les diverses cloisons de la galerie et puis s'arrêtant, longtemps, devant une toile qu'elle aimait et qui l'entraînerait à danser avec elle avant de la laisser partir. Elle aimait particulièrement les scènes rupestres, avec la mer et un bateau, mais elle en voyait rarement. Il y avait surtout ce qu'elle appelait de l'art alarmiste : *Homme*, disait un tableau. *L'Amour Hait*, disait un autre.

Ou alors elle allait voir un film. Un garçon avec une plaque métallique dans la tête tombe amoureux d'une fille qui le rejette. Il la kidnappe, lui donne à manger et la tue en lui ouvrant le crâne afin d'y loger une plaque. Il la fait tenir droite sur une chaise et peint des aquarelles la représentant nue.

Et dans le métro du retour, l'après-midi, les clochards lui semblaient avoir le visage de Rudy tandis qu'ils se retournaient pour lorgner. Ils lui tombaient dessus, s'asseyaient à côté d'elle et rotaient, sortaient un harmonica et jouaient un vieil air de folk. Ou alors, ils s'asseyaient à quelques sièges et se contentaient de regarder. Elle levait les yeux, et chaque clodo dans la rame avait le regard fixe, persistant comme une douleur.

Elle descendit sur la Quatrième avenue et alla porter son bocal à la clinique.

« On vous enverra les résultats par télémail », dit un jeune homme en costume argenté, un technicien qui la toisa prudemment.

« D'accord », répondit-elle.

Pour se consoler, elle entra dans une boutique au coin de la rue où elle essaya plusieurs tenues. Il leur était arrivé de faire ça, à elle et à Rudy, quand ils étaient jeunes et pauvres, de prendre des poses dans des vêtements coûteux, simplement pour montrer à l'autre à quoi ils ressembleraient *si seulement*. Ils sortaient de la cabine d'essayage en se faisant des révérences, ce qui exaspérait la vendeuse au plus haut point. Et puis ils remettaient les vêtements à leur place, rentraient chez eux et faisaient l'amour. Une fois, avant de quitter le magasin, Rudy avait arraché un costume de soirée de son cintre et avait crié : « Je ne vais jamais dans ces endroits-là ! » Et cette même nuit, dans les affres d'un cauchemar, il avait tâtonné à la recherche de la hache sous le matelas et l'avait brandie au-dessus d'elle comme un tomahawk, la bouche ouverte, le regard perdu. « Réveille-toi », l'avait-elle supplié, et elle avait tenu son bras jusqu'à ce qu'il le baisse, les yeux vides, collision entre la confusion et la prise de conscience, surface brisée pour laisser passer l'air.

« Viens voir », lui dit Rudy quand elle rentra à la maison. Il avait préparé un dîner composé d'une salade d'épinards et de fruits accompagnée de grosses cuisses de dinde en promotion, un Spécial Homme Des Cavernes. Il était un peu éméché. Mamie vit que le tableau qu'il peignait actuellement représentait un chien déchirant le short tyrolien d'une Vierge Marie, ce qui n'était pas bon signe. Près de la toile des cafards étaient écrasés par terre comme des tartelettes au sirop d'érable.

« Je suis fatiguée, Rudy, lui dit-elle.

– Allez, viens. » L'odeur de chou qui pourrissait dans sa molaire cariée l'enveloppa comme un nuage. Elle recula. « Après le repas je veux que tu viennes faire un tour avec moi. Au moins ça. » Il rota.

« O.K. » Elle s'assit à table avec lui. À la télé on passait *La Vie passionnée de Vincent Van Gogh*, le film préféré de Rudy.

« Quel fou, ce Van Gogh, dit-il d'une voix traînante. Se tirer une balle dans la poitrine ! Une personne saine d'esprit se serait tiré une balle dans la tête.

– Bien entendu », acquiesça Mamie qui fixait les épinards ; les quartiers d'orange au sommet ressemblaient à un poisson rouge mort. Elle mâchouilla la cuisse de dinde qui était faisandée et sèche. « C'est délicieux, Rudy. » *Une personne saine d'esprit se serait tiré une balle dans la tête.* Comme dessert il y avait une barre chocolatée qu'ils partagèrent en deux.

Ils sortirent. C'était le crépuscule, et le soleil ne se couchait pas aussi vite qu'en janvier, époque à laquelle il tombait aussi rapidement qu'un store ; ce soir-là, il s'attardait un peu, dans une lumière traînante et hésitante, comme un œil au beurre noir jaunissant. Ils prirent la rue qui descendait vers le sud de Brooklyn, droit sur la bande orangée qui se transformerait bientôt en nuit. Ils semblaient faire la course, Rudy dépassant légèrement Mamie qui finissait par le devancer. Ils passèrent devant les rangées de maisons en vieilles briques, l'église Saint Thomas d'Aquin, les stations du métro F et G, ce métro qui n'allait nulle part, disait-on, parce qu'il faisait la navette entre Brooklyn et Queens sans passer par Manhattan ; personne ne le prenait.

Ils continuèrent de marcher sous le métro aérien. Le A gronda dans un bruit assourdissant au-dessus de leurs têtes. Les lampadaires étaient de plus en plus rares, les maisons de plus en plus petites, entourées de clôtures et légèrement délabrées, comme les pensionnaires d'une maison de retraite qui attendraient la mort, le regard fixe. Les quelques magasins existants étaient fermés et leurs vitrines sombres. Un labrador noir et efflanqué, qui traînait devant l'un d'eux, reniflait des sacs poubelles comme s'il s'agissait de cadavres ayant besoin qu'on les retourne pour révéler l'arme du crime, le piolet dans le dos. Rudy prit la main de Mamie. Elle était calleuse, gercée à cause de la térébenthine, les ongles striés comme des coquillages, les pouces noircis par les accidents de travail, le sang noir affluant sous la peau. « Regarde-moi ça », lui dit Mamie en s'arrêtant et en mettant la main de Rudy sous un lampadaire. Il y avait encore du chocolat fondu dans la paume, et il la retira, honteux, pour l'essuyer sur son manteau. « Tu devrais mettre de la crème, Rudy. Tes mains vont finir par tomber et atterrir sur le trottoir dans un bruit métallique.

– Lâche-les, alors. »

Le canal Gowanus s'étirait devant eux, et son odeur froide et âcre, laiteuse à cause des produits chimiques, leur soufflait au visage. « Où est-ce qu'on va, au fait ? » lui demanda-t-elle. Un homme vêtu d'un manteau sans boutons venait du pont et s'approcha d'eux ; en fin de compte, il traversa la rue et continua sa route. « C'est plutôt bizarre, non, d'être dehors à cette heure-ci ? » Ils étaient arrivés au pont-levis au-dessus du canal et s'arrêtèrent. Il était étrange de se tenir debout au-dessus de ce chenal toxique, qui plus est de nuit et dans un quartier dangereux, comme s'ils étaient amoureux et autorisés à de telles aventures. Il lui semblait parfois que Rudy et elle étaient deux personnes s'essayant au tango, suant et recommençant bien après que l'orchestre se fut fatigué et que tout le monde fut rentré chez soi.

Rudy s'accouda à la rambarde du pont et un autre métro gronda au-dessus d'eux, le F, avec son carré couleur framboise rosée. « C'est la ligne la plus haut perchée de la ville », lui dit-il, mais sa voix était étouffée par le bruit de la rame.

Une fois qu'elle fut passée, Mamie murmura : « Je sais. » Quand Rudy commençait à jouer au guide, elle savait que ça cachait quelque chose.

« Je parie qu'il y a d'autres corps dans ce canal. Ceux dont les journaux ne nous ont pas encore parlé ? Je parie qu'on y trouverait des mafieux, des taupes et des corps de femmes que des hommes n'ont jamais appris à aimer.

– Rudy, qu'est-ce que tu racontes ?

– Je parie qu'il y a ici beaucoup plus de corps que l'on croit. » Mamie vit l'éclair d'une rage familière passer sur son visage ; puis elle s'envola, tel un oiseau, et il ne sembla rien rester du tout sur son visage, comme une gare entre deux trains. Puis ses traits s'affaissèrent d'un coup et il se mit à pleurer dans les manches de son manteau, dans ses mains calleuses.

« Rudy, qu'est-ce qu'il y a ? » Elle se tenait derrière lui et entourait sa taille de ses bras, sa joue contre son dos. Il l'avait parfois consolée de cette manière, et en lui frottant simplement le dos il l'avait rattachée à quelque chose : dans ces moments-là, quand il lui avait semblé qu'elle s'éloignait très loin en flottant, Rudy avait été comme un médium qui l'aurait appelée de l'au-delà. « Nous voici dans la caverne des massages », lui disait-il en tournoyant au-dessus d'elle, le plaid recouvrant leurs corps pour former une petite cabane chaude. Tous les âges de l'enfance lui revenaient grâce à ses mains. La vie lui paraissait à nouveau suffisamment longue pour réapprendre les choses que l'on croyait connaître.

Il toussa et ne se retourna pas. « Je veux prouver à mes parents que je ne suis pas un raté. » Il y a longtemps, quand il avait douze ans, son père lui avait proposé de l'emmener à la maison du peintre Andrew Wyeth. « Tu veux devenir artiste, hein p'tit gars ? Eh bien, j'ai découvert où il habite ! »

« C'est un peu tard pour qu'on se soucie de ce que nos parents pensent de nous », lui rétorqua-t-elle. Rudy avait tendance à s'accrocher aux choses auxquelles il ne fallait pas, peut-être parce que celles auxquelles il aurait fallu penser étaient trop effrayantes. Un autre métro gronda tout près, et l'eau en dessous d'eux envoya des bouffées âcres et sulfureuses.

« Rudy, qu'est-ce qui ne va pas ? De quoi as-tu peur ?

– Les Trois Stooges. Pauvreté, Ténèbres, Masturbation. Et puis les trois I. Ennui. Anomie. Tragédie. Donne-moi une bonne raison de continuer à vivre. » Il criait.

« Je suis désolée », souffla-t-elle. Elle s'écarta de lui, balaya du revers de la main une peluche sur son manteau. « Tu me prends dans un mauvais jour. » Elle scruta son profil, y cherchant un semblant d'émotion, quoi que ce soit auquel elle pourrait se raccrocher. « Enfin, c'est la vie ou rien, non ? On ne te demande pas de l'aimer, tu n'as qu'à… » Elle était incapable de terminer sa phrase.

« On vit dans un monde terrible », lança-t-il, et il se tourna vers elle, mélancolique et en souffrance. Elle sentit cette chaude odeur, âcre et animale, sous ses aisselles. Il avait cette odeur parfois, l'odeur d'un fou. Elle lui en avait fait la remarque une fois et il était immédiatement parti se parfumer avec le talc qu'elle utilisait, pour venir ensuite se coucher avec son odeur. Un jour, il s'était trompé de flacon et s'était aspergé d'Ajax.

« Joyeuse Saint-Valentin.

– Oui, dit-elle, d'une voix craintive. On ne pourrait pas rentrer maintenant ? »

> *Il s'assit parmi eux avec beaucoup de dignité et de courtoisie. « Il vous faut dire des prières pour votre dieu qui s'occupe si bien de vous. Il vous faut l'implorer de nous laisser en vie. Ou alors, si nous devons mourir, qu'on nous laisse aller vivre avec votre dieu afin que nous le connaissions nous aussi. » Parmi les Anglais le silence se fit. « Voyez-vous, ajouta le chef, nous disons des prières pour notre dieu, mais il n'écoute pas. Nous avons dû faire quelque chose qui l'a offensé. » Et puis le chef se leva, rentra chez lui, enleva ses habits anglais et mourut.* (Voir dessin.)

Goz était dans les toilettes des femmes et elle sourit quand elle vit entrer Mamie. « Tu vas encore me demander des nouvelles de ma vie amoureuse ? » lui lança-t-elle tandis qu'elle nettoyait ses dents avec du fil dentaire en face du miroir. « C'est ce que tu fais toujours.

– D'accord, dit Mamie. Comment ça va, les amours ? »

Goz faisait aller et venir le fil dentaire entre ses dents, puis elle le retira d'un coup sec. « Je n'ai pas d'amours, je n'ai que des amis. »

Mamie sourit. Elle se dit que ça devait être drôlement agréable de se sentir libéré de l'amour – être aimé et vouloir aimer –, un mari et une femme comme deux copains de régiment qui se raconteraient des histoires et lanceraient des paris sur la coupe du monde de baseball.

« C'est pur, sans chichis et amical. Du café et de la froideur. Tu devrais essayer. » Elle fila dans l'un des W.-C. et le verrouilla. « Plus rien n'est sûr », lui lança-t-elle de l'intérieur.

Mamie entra chez un disquaire et acheta des disques. Ça faisait des années que plus personne n'en achetait, et on pouvait maintenant en trouver à soixante-quinze cents. Elle n'achetait que des albums qui avaient une chanson avec le mot *cœur* dans le titre : *Le Cœur vernaculaire, Cœur agité. Le Cœur est une bicyclette cachée derrière vos côtes*. Puis il lui fallut sortir. Loin de la chaleur étourdissante du magasin, elle les serra contre son cœur et se mit à marcher vers les odeurs de pourriture des restaurants de Chinatown, vers le pont de Brooklyn. Les trottoirs étaient mouillés et dégageaient une odeur fétide, et la journée était chaude, comme si le printemps était déjà arrivé. Tout le monde était sorti se promener. Elle s'arrêterait à la clinique sur le chemin du retour et y laisserait son bocal.

Elle pensa à un rêve qu'elle avait eu la nuit précédente. Dans le rêve elle découvrait une porte dans l'appartement qui s'ouvrait sur plus de pièces, des pièces dont elle ignorait l'existence ; toute une maison était cachée et c'était la sienne. Des oiseaux vivaient à l'intérieur, chaque pièce était sombre mais splendide, avec la fenêtre ouverte pour les oiseaux. Sur le mur il y avait des abécédaires où il était brodé : *Mourez ici*. L'agent immobilier au foulard n'arrêtait pas de dire : « À notre époque » et « C'est une aubaine ». Goz était là aussi, les extrémités de ses cheveux blonds devenues rouges et des racines sombres apparentes. Tricolore, comme une sucette au sucre candi. Elle ne cessait de répéter : « Seulement nous, les filles ». C'était la fin du monde et elles étaient supposées vivre ensemble dans cette maison, aussi longtemps que ça leur prendrait pour mourir, jusqu'à ce que leurs gencives soient douloureuses, qu'elles attrapent froid, que leurs cheveux tombent et que la télévision ne soit plus que points et neige. Elle se souvenait qu'il y avait eu du mouvement – groupé et paniqué à travers des cages d'escalier, des couloirs, des tunnels sombres cachés derrière des tableaux –, et puis tout se démêlait pour n'être plus qu'une stase virevoltante.

Quand elle atteignit le pont, elle remarqua qu'il y avait de l'agitation quelques mètres devant elle. Deux hélicoptères tournoyaient dans le ciel et il s'était formé un petit groupe au milieu du couloir pour piétons. Un camion de pompiers et une voiture de police passèrent à toute vitesse sur la droite, tous phares allumés. Elle s'approcha de la foule. « Qu'est-ce qui se passe ? » demanda-t-elle à un homme.

« Regardez. » Il tendit le doigt vers un autre homme qui avait enjambé le grillage métallique et se trouvait à présent sur le dernier garde-fou du pont. Ses poignets étaient bandés de noir et ses mains étaient accrochées aux câbles de suspension. Son dos était arc-bouté et son corps oscillait au-dessus de l'eau comme emprisonné dans une toile d'araignée faite de parallélogrammes d'acier. Sa tête pendouillait comme celle d'un crucifié et le vent soufflait dans ses cheveux. Il lui sembla reconnaître les traits de ce profil indistinct.

« Oh mon Dieu ! dit-elle.

– La dame devant nous dit que c'est le type recherché pour les meurtres du canal Gowanus. Vous voyez les bateaux de police en bas ? » Deux hors-bord rouge et blanc faisaient bouillonner l'eau. Un des hélicoptères tournoyait bruyamment au-dessus.

« Oh mon Dieu », dit à nouveau Mamie, et elle se fraya un chemin à travers la foule. Un éclair blanc éclata dans son cerveau. Une moto de police se gara sur le trottoir derrière elle et un policier armé en descendit. « Je le connais », répétait Mamie aux gens en les poussant du coude. « Je le connais. » Elle tenait son sac à main et son sac plastique devant elle et elle poussait. Le policier la suivait de très près, elle poussa donc avec force. Quand elle atteignit le grillage, elle posa ses sacs à terre, l'enjamba et se mit à ramper, métal contre peau, loin vers l'extrémité du pont. « Hé ! » cria quelqu'un. C'était le policier. « Hé ! » Les voitures filaient en dessous d'elle et un vent iodé s'engouffrait dans sa bouche. Elle essayait de ne pas regarder en bas. « Rudy ! » appela-t-elle, mais sa voix lui parut faible à cause du grondement de la circulation et de sa gorge serrée. « C'est moi ! » Elle se sentait entourée de ciel tandis qu'elle avançait vers lui, se rapprochait. Ses ongles se cassèrent contre le métal. Elle se rapprochait en effet, et elle serait bientôt assez près pour pouvoir l'attraper, lui parler, prendre son visage entre ses mains et lui dire quelque chose du genre *rentrons à la maison* – mais tout d'un coup, trop loin d'elle, il lâcha la prise qu'il avait sur les câbles et tomba, ses membres tournoyant comme les ailes d'un moulin à vent, pour disparaître dans l'East River.

Elle s'arrêta net. *Rudy*. Deux personnes crièrent. Elle entendait le vrombissement de la foule qui s'était pressée contre les rambardes. *Non, pas ça*. « Excusez-moi, madame, cria une voix. Vous avez bien dit que vous connaissiez cet homme ? »

Elle revint lentement en arrière sur ses genoux et descendit sur le trottoir. Ses jambes étaient en sang, mais elle ne les sentait pas. Quelqu'un était en train de la toucher, de serrer ses mains autour de ses bras. Son sac à main et son sac plastique étaient toujours là où elle les avait laissés, appuyés contre le ciment, et elle se dégagea d'un mouvement brusque, les attrapa et s'enfuit.

Elle traversa le pont en courant, descendit dans un souterrain humide et froid qui sentait l'ammoniac et débouchait sur un parc laissé en friche, zigzagua à travers les rues aux noms de fruits de Brooklyn Heights, le long des pavés hexagonaux de la promenade, le long de l'eau, et puis en haut vers la gauche, ricochant contre les feux piétons au rouge. Elle n'arrêta pas de courir même quand elle se retrouva dans les jardins Carroll, se dirigeant vers le canal Gowanus. *Non, pas ça*. Elle remonta la grand-rue au sud de Brooklyn pendant vingt minutes, malgré la circulation, malgré les feux rouges et les sirènes, le hululement effrayant des hélicoptères et le mugissement d'un avion, jusqu'à ce qu'elle atteigne la maison à la mangeoire ; et quand elle y arriva, hors d'haleine, elle se laissa glisser le long de la clôture et poussa un cri solitaire et étranglé dans son sac de disques.

L'après-midi s'assombrissait. Deux *Rosies* passèrent près d'elle en l'ignorant mais ralentirent quand même car elles étaient essoufflées. Elles aussi décidèrent de s'asseoir sur le petit muret, mais un peu plus loin. Mamie avait déjà intégré la sous-classe des malades, elle le savait, mais elles ne l'avaient pas reconnue comme l'une des leurs. « Ça va ? » entendit-elle une *Rosie* dire à l'autre en posant sa boîte de fleurs sur le trottoir.

« Ça va, lui répondit son amie.

– T'as encore plus mauvaise mine.

– Peut-être, soupira-t-elle. Le problème avec tout ça, c'est que tu ne sais jamais pourquoi tu es à tel endroit. Tu te lèves, tu marches. Tu n'arrêtes pas de penser qu'il y a d'autres chemins possibles.

– Regarde-la, celle-là », grogna l'amie en montrant Mamie du doigt.

« Quoi ? » dit l'autre, et puis elles s'arrêtèrent de parler.

Un camion de pompiers passa près des trois femmes dans un fracas métallique. Les sirènes hurlaient. Au bout d'un moment, Mamie se leva, aussi lentement qu'une arthritique, n'agrippant que son sac à main avec le bocal à l'intérieur et laissant les disques derrière elle. Elle se mit en route et trébucha sur une bosse du trottoir. Elle remarqua une chose : la maison à la mangeoire n'avait pas de dôme du tout. Elle n'avait même pas de

RÉALISATION : IGS-CP À L'ISLE-D'ESPAGNAC
IMPRESSION : CPI BRODARD ET TAUPIN, À LA FLÈCHE
DÉPÔT LÉGAL : OCTOBRE 2013. N° 112445 (3001438)
Imprimé en France

Éditions Points

DERNIERS TITRES PARUS

P2939. Par amitié, *George P. Pelecanos*
P2940. Avec le diable, *James Keene, Hillel Levin*
P2941. Les Fleurs de l'ombre, *Steve Mosby*
P2942. Double Dexter, *Jeff Lindsay*
P2943. Vox, *Dominique Sylvain*
P2944. Cobra, *Dominique Sylvain*
P2945. Au lieu-dit Noir-Étang…, *Thomas H. Cook*
P2946. La Place du mort, *Pascal Garnier*
P2947. Terre des rêves. La Trilogie du Minnesota, vol. 1
Vidar Sundstøl
P2948. Les Mille Automnes de Jacob de Zoet, *David Mitchell*
P2949. La Tuile de Tenpyô, *Yasushi Inoué*
P2950. Claustria, *Régis Jauffret*
P2951. L'Adieu à Stefan Zweig, *Belinda Cannone*
P2952. Là où commence le secret, *Arthur Loustalot*
P2953. Le Sanglot de l'homme noir, *Alain Mabanckou*
P2954. La Zonzon, *Alain Guyard*
P2955. L'éternité n'est pas si longue, *Fanny Chiarello*
P2956. Mémoires d'une femme de ménage
Isaure (en collaboration avec Bertrand Ferrier)
P2957. Je suis faite comme ça. Mémoires, *Juliette Gréco*
P2958. Les Mots et la Chose. Trésors du langage érotique
Jean-Claude Carrière
P2959. Ransom, *Jay McInerney*
P2960. Little Big Bang, *Benny Barbash*
P2961. Vie animale, *Justin Torres*
P2962. Enfin, *Edward St Aubyn*
P2963. La Mort muette, *Volker Kutscher*
P2964. Je trouverai ce que tu aimes, *Louise Doughty*
P2965. Les Sopranos, *Alan Warner*
P2966. Les Étoiles dans le ciel radieux, *Alan Warner*
P2967. Méfiez-vous des enfants sages, *Cécile Coulon*

P2968. Cheese Monkeys, *Chip Kidd*
P2969. Pommes, *Richard Milward*
P2970. Paris à vue d'œil, *Henri Cartier-Bresson*
P2971. Bienvenue en Transylvanie, *Collectif*
P2972. Super triste histoire d'amour, *Gary Shteyngart*
P2973. Les Mots les plus méchants de l'Histoire
Bernadette de Castelbajac
P2474. La femme qui résiste, *Anne Lauvergeon*
P2975. Le Monarque, son fils, son fief, *Marie-Célie Guillaume*
P2976. Écrire est une enfance, *Philippe Delerm*
P2977. Le Dernier Français, *Abd Al Malik*
P2978. Il faudrait s'arracher le cœur, *Dominique Fabre*
P2979. Dans la grande nuit des temps, *Antonio Muñoz Molina*
P2980. L'Expédition polaire à bicyclette
suivi de La Vie sportive aux États-Unis, *Robert Benchley*
P2981. L'Art de la vie. Karitas, Livre II
Kristín Marja Baldursdóttir
P2982. Parlez-moi d'amour, *Raymond Carver*
P2983. Tais-toi, je t'en prie, *Raymond Carver*
P2984. Débutants, *Raymond Carver*
P2985. Calligraphie des rêves, *Juan Marsé*
P2986. Juste être un homme, *Craig Davidson*
P2987. Les Strauss-Kahn, *Raphaëlle Bacqué, Ariane Chemin*
P2988. Derniers Poèmes, *Friedrich Hölderlin*
P2989. Partie de neige, *Paul Celan*
P2990. Mes conversations avec les tueurs, *Stéphane Bourgoin*
P2991. Double meurtre à Borodi Lane, *Jonathan Kellerman*
P2992. Poussière tu seras, *Sam Millar*
P2993. Jours de tremblement, *François Emmanuel*
P2994. Bataille de chats. Madrid 1936, *Eduardo Mendoza*
P2995. L'Ombre de moi-même, *Aimee Bender*
P2996. Il faut rentrer maintenant…
Eddy Mitchell (avec Didier Varrod)
P2997. Je me suis bien amusé, merci !, *Stéphane Guillon*
P2998. Le Manifeste Chap. Savoir-vivre révolutionnaire
pour gentleman moderne, *Gustav Temple, Vic Darkwood*
P2999. Comment j'ai vidé la maison de mes parents, *Lydia Flem*
P3000. Lettres d'amour en héritage, *Lydia Flem*
P3001. Enfant de fer, *Mo Yan*
P3002. Le Chapelet de jade, *Boris Akounine*
P3003. Pour l'amour de Rio, *Jean-Paul Delfino*
P3004. Les Traîtres, *Giancarlo de Cataldo*
P3005. Docteur Pasavento, *Enrique Vila-Matas*
P3006. Mon nom est légion, *António Lobo Antunes*
P3007. Printemps, *Mons Kallentoft*
P3008. La Voie de Bro, *Vladimir Sorokine*

P3009. Une collection très particulière, *Bernard Quiriny*
P3010. Rue des petites daurades, *Fellag*
P3011. L'Œil du léopard, *Henning Mankell*
P3012. Les mères juives ne meurent jamais, *Natalie David-Weill*
P3013. L'Argent de l'État. Un député mène l'enquête
René Dosière
P3014. Kill kill faster faster, *Joel Rose*
P3015. La Peau de l'autre, *David Carkeet*
P3016. La Reine des Cipayes, *Catherine Clément*
P3017. Job, roman d'un homme simple, *Joseph Roth*
P3018. Espèce de savon à culotte ! et autres injures d'antan
Catherine Guennec
P3019. Les mots que j'aime et quelques autres…
Jean-Michel Ribes
P3020. Le Cercle Octobre, *Robert Littell*
P3021. Les Lunes de Jupiter, *Alice Munro*
P3022. Journal (1973-1982), *Joyce Carol Oates*
P3023. Le Musée du Dr Moses, *Joyce Carol Oates*
P3024. Avant la dernière ligne droite, *Patrice Franceschi*
P3025. Boréal, *Paul-Émile Victor*
P3026. Dernières nouvelles du Sud
Luis Sepúlveda, Daniel Mordzinski
P3027. L'Aventure, pour quoi faire ?, *collectif*
P3028. La Muraille de lave, *Arnaldur Indridason*
P3029. L'Invisible, *Robert Pobi*
P3030. L'Attente de l'aube, *William Boyd*
P3031. Le Mur, le Kabyle et le marin, *Antonin Varenne*
P3032. Emily, *Stewart O'Nan*
P3033. Les oranges ne sont pas les seuls fruits
Jeanette Winterson
P3034. Le Sexe des cerises, *Jeanette Winterson*
P3035. À la trace, *Deon Meyer*
P3036. Comment devenir écrivain quand on vient
de la grande plouquerie internationale, *Caryl Férey*
P3037. Doña Isabel (ou la véridique et très mystérieuse histoire
d'une Créole perdue dans la forêt des Amazones)
Christel Mouchard
P3038. Psychose, *Robert Bloch*
P3039. Équatoria, *Patrick Deville*
P3040. Moi, la fille qui plongeait dans le cœur du monde
Sabina Berman
P3041. L'Abandon, *Peter Rock*
P3042. Allmen et le diamant rose, *Martin Suter*
P3043. Sur le fil du rasoir, *Oliver Harris*
P3044. Que vont devenir les grenouilles ?, *Lorrie Moore*

P3045. Quelque chose en nous de Michel Berger
Yves Bigot
P3046. Elizabeth II. Dans l'intimité du règne, *Isabelle Rivère*
P3047. Confession d'un tueur à gages, *Ma Xiaoquan*
P3048. La Chute. Le mystère Léviathan (tome 1), *Lionel Davoust*
P3049. Tout seul. Souvenirs, *Raymond Domenech*
P3050. L'homme naît grâce au cri, *Claude Vigée*
P3051. L'Empreinte des morts, *C.J. Box*
P3052. Qui a tué l'ayatollah Kanuni ?, *Naïri Nahapétian*
P3053. Cyber China, *Qiu Xiaolong*
P3054. Chamamé, *Leonardo Oyola*
P3055. Anquetil tout seul, *Paul Fournel*
P3056. Marcus, *Pierre Chazal*
P3057. Les Sœurs Brelan, *François Vallejo*
P3058. L'Espionne de Tanger, *María Dueñas*
P3059. Mick. Sex and rock'n'roll, *Christopher Andersen*
P3060. Ta carrière est fi-nie !, *Zoé Shepard*
P3061. Invitation à un assassinat, *Carmen Posadas*
P3062. L'Envers du miroir, *Jennifer Egan*
P3063. Dictionnaire ouvert jusqu'à 22 heures
Académie Alphonse Allais
P3064. Encore un mot. Billets du Figaro, *Étienne de Montety*
P3065. Frissons d'assises. L'instant où le procès bascule
Stéphane Durand-Souffland
P3066. Y revenir, *Dominique Ané*
P3067. J'ai épousé Johnny à Notre-Dame-de-Sion
Fariba Hachtroudi
P3068. Un concours de circonstances, *Amy Waldman*
P3069. La Pointe du couteau, *Gérard Chaliand*
P3070. Lila, *Robert M. Pirsig*
P3071. Les Amoureux de Sylvia, *Elizabeth Gaskell*
P3072. Cet été-là, *William Trevor*
P3073. Lucy, *William Trevor*
P3074. Diam's. Autobiographie, *Mélanie Georgiades*
P3075. Pourquoi être heureux quand on peut être normal ?
Jeanette Winterson
P3076. Qu'avons-nous fait de nos rêves ?, *Jennifer Egan*
P3077. Le Terroriste noir, *Tierno Monénembo*
P3078. Féerie générale, *Emmanuelle Pireyre*
P3079. Une partie de chasse, *Agnès Desarthe*
P3080. La Table des autres, *Michael Ondaatje*
P3081. Lame de fond, *Linda Lê*
P3082. Que nos vies aient l'air d'un film parfait, *Carole Fives*
P3083. Skinheads, *John King*
P3084. Le bruit des choses qui tombent, *Juan Gabriel Vásquez*

P3085. Quel trésor !, *Gaspard-Marie Janvier*
P3086. Rêves oubliés, *Léonor de Récondo*
P3087. Le Valet de peinture, *Jean-Daniel Baltassat*
P3088. L'État au régime. Gaspiller moins pour dépenser mieux
René Dosière
P3089. Refondons l'école. Pour l'avenir de nos enfants
Vincent Peillon
P3090. Vagabond de la bonne nouvelle, *Guy Gilbert*
P3091. Les Joyaux du paradis, *Donna Leon*
P3092. La Ville des serpents d'eau, *Brigitte Aubert*
P3093. Celle qui devait mourir, *Laura Lippman*
P3094. La Demeure éternelle, *William Gay*
P3095. Adulte ? Jamais. Une anthologie (1941-1953)
Pier Paolo Pasolini
P3096. Le Livre du désir. Poèmes, *Leonard Cohen*
P3097. Autobiographie des objets, *François Bon*
P3098. L'Inconscience, *Thierry Hesse*
P3099. Les Vitamines du bonheur, *Raymond Carver*
P3100. Les Trois Roses jaunes, *Raymond Carver*
P3101. Le Monde à l'endroit, *Ron Rash*
P3102. Relevé de terre, *José Saramago*
P3103. Le Dernier Lapon, *Olivier Truc*
P3104. Cool, *Don Winslow*
P3105. Les Hauts-Quartiers, *Paul Gadenne*
P3106. Histoires pragoises, *suivi de* Le Testament
Rainer Maria Rilke
P3107. Œuvres pré-posthumes, *Robert Musil*
P3108. Anti-manuel d'orthographe. Éviter les fautes
par la logique, *Pascal Bouchard*
P3109. Génération CV, *Jonathan Curiel*
P3110. Ce jour-là. Au cœur du commando qui a tué Ben Laden
Mark Owen et Kevin Maurer
P3111. Une autobiographie, *Neil Young*
P3112. Conséquences, *Darren William*
P3113. Snuff, *Chuck Palahniuk*
P3114. Une femme avec personne dedans, *Chloé Delaume*
P3115. Meurtre au Comité central, *Manuel Vázquez Montalbán*
P3116. Radeau, *Antoine Choplin*
P3117. Les Patriarches, *Anne Berest*
P3118. La Blonde et le Bunker, *Jakuta Alikavazovic*
P3119. La Contrée immobile, *Tom Drury*
P3120. Peste & Choléra, *Patrick Deville*
P3121. Le Veau *suivi de* Le Coureur de fond, *Mo Yan*
P3122. Quarante et un coups de canon, *Mo Yan*
P3123. Liquidations à la grecque, *Petros Markaris*

P3124. Baltimore, *David Simon*
P3125. Je sais qui tu es, *Yrsa Sigurdardóttir*
P3126. Le Regard du singe
Gérard Chaliand, Patrice Franceschi, Patrick Gambache
P3127. Journal d'un mythomane. Vol. 2 : Une année particulière
Nicolas Bedos
P3128. Autobiographie d'un menteur, *Graham Chapman*
P3129. L'Humour des femmes, *The New Yorker*
P3130. La Reine Alice, *Lydia Flem*
P3131. Vies cruelles, *Lorrie Moore*
P3132. La Fin de l'exil, *Henry Roth*
P3133. Requiem pour Harlem, *Henry Roth*
P3134. Les mots que j'aime, *Philippe Delerm*
P3135. Petit Inventaire des plaisirs belges, *Philippe Genion*
P3136. La faute d'orthographe est ma langue maternelle
Daniel Picouly
P3137. Tombé hors du temps, *David Grossman*
P3138. Petit oiseau du ciel, *Joyce Carol Oates*
P3139. Alcools (illustrations de Ludovic Debeurme)
Guillaume Apollinaire
P3140. Pour une terre possible, *Jean Sénac*
P3141. Le Baiser de Judas, *Anna Grue*
P3142. L'Ange du matin, *Arni Thorarinsson*
P3143. Le Murmure de l'ogre, *Valentin Musso*
P3144. Disparitions, *Natsuo Kirino*
P3145. Le Pont des assassins, *Arturo Pérez-Reverte*
P3146. La Dactylographe de Mr James, *Michiel Heyns*
P3147. Télex de Cuba, *Rachel Kushner*
P3148. Promenades avec les hommes, *Ann Beattie*
P3149. Le Roi Lézard, *Dominique Sylvain*
P3150. Scènes de la vie quotidienne à l'Élysée, *Camille Pascal*
P3151. Je ne t'ai pas vu hier dans Babylone
António Lobo Antunes
P3152. Le Condottière, *Georges Perec*
P3153. La Circassienne, *Guillemette de Sairigné*
P3154. Au pays du cerf blanc, *Zhongshi Chen*
P3155. Juste pour le plaisir, *Mercedes Deambrosis*
P3156. Trop près du bord, *Pascal Garnier*
P3157. Seuls les morts ne rêvent pas.
La Trilogie du Minnesota, vol. 2, *Vidar Sundstøl*
P3158. Le Trouveur de feu, *Henri Gougaud*
P3159. Ce soir, après la guerre, *Viviane Forrester*
P3160. La semaine où Jérôme Kerviel a failli faire sauter
le système financier mondial. Journal intime
d'un banquier, *Hugues Le Bret*